The Virgin Book of
Kakuro

The Virgin Book of

Kakuro

BOOK 3

First published in Great Britain in 2005 by Virgin Books
Virgin Books Ltd
Thames Wharf Studios
Rainville Road
London
W6 9HA

A catalogue record for this book is available from the British Library.

ISBN (10) 0753511363
(13) 9 780753 511367

The paper used in this book is a natural, recyclable product made from wood
grown in sustainable forests. The manufacturing process conforms to the
regulations of the country of origin.

Typeset by seagulls

Printed in Great Britain by Clays Ltd, St Ives plc

INTRODUCTION

A lot has changed in the short time since the first *Virgin Book of Kakuro* was published. Just a few months ago, Kakuro was one of the puzzle world's best kept secrets, but now the craze has taken the UK by storm. In this, our biggest book yet, *The Virgin Book of Kakuro 3* offers 300 more puzzles to tax, challenge and delight.

Originally published in the late 60s in America, cross sums, as they were then known, were sandwiched neatly inside books of regular crosswords, presumably to give the reader a break from cryptic clues. There they might have stayed, had it not been for McKee Kaji, a Japanese businessman, who chanced upon the puzzles and saw their huge potential ...

Adapting them for his homeland, Kaji redesigned and renamed them 'kasan kurosu', which conjoins the Japanese word for addictive and the pronunciation of the English word 'cross'. Over the years, Kakuro became increasingly popular, so much so that in 1986 Nikoli, Kaji's company and the premier publisher of puzzle books in Japan, issued the first book devoted to Kakuro puzzles. It was an immediate success and over twenty volumes have followed, with sales in excess of a million copies.

So, for those not yet bitten by the bug, how do you play Kakuro?

Just like Su Doku, Kakuro is essentially a logic puzzle – all puzzles in this volume can be solved without the infuriating need to guess and hope – but it adds an element of basic mathematics. The full rules and an explanation of how to play follow this introduction, but, in short, the object of Kakuro is to make each cell of each grid add up to the number attached to it, using only the numbers from 1 to 9. Those that start to shake at the mere mention of adding up, don't panic. There are only a limited amount of combinations (many of which are listed after the how to play section) that will lead you to a cell's value, for example, if your cell is two squares across and the number beside it is 17, then the only possible combination is 9 and 8. The puzzle is simplicity itself, and takes no time to learn; however, to master it takes patience, thought and an industrial size pencil eraser.

In Japan, Kakuro is so popular that it has overshadowed Su Doku. Why? Well it's a combination of various reasons. The puzzles are more challenging than Su Doku, with a greater variety of grids and more fiendish ways of bamboozling you. It is this variation that hooks the puzzler, that and the tremendous feeling of accomplishment when you complete a grid. The addition of mathematics is also a factor, in that you very quickly pick up on the fact that certain numbers attached to cells with a certain amount of squares only have one possible combination – for example, if a cell has three squares and the number attached to it is 7, then the only combination is 4, 2 and 1. It is amazing how this knowledge becomes automatic and helps you solve puzzles significantly more quickly. As a by-product, it also sharpens your mental arithmetic, which if you considered yourself a mathematical dunce is an unusual and edifying experience.

Whether this is your first foray into the compulsively addictive world of Kakuro, or you are a seasoned veteran, you will find a huge amount to enjoy within these pages. The book is divided into three sections, increasing in the amount of time it should take you to complete them – bear in mind, therefore, that the ones at the back of the book might take rather longer than your lunch break …

The Virgin Book of Kakuro 3 is another slice of wickedly addictive and devilish good fun. Good luck!

THE RULES

The object of Kakuro is to fill the blank squares in the grid, only using numbers between 1 and 9.

Each Kakuro puzzle is made up of cells, which either run up or down, much like a crossword clue. Each cell is made up of between 2 and 9 squares.

These cells must be filled in with numbers that add up to the number 'clue', which is found in the shaded box alongside the cell. If a number appears in the bottom half of the box it is a downwards clue; if in the top half an across clue.

No number can appear twice in a cell.

HOW TO SOLVE
A KAKURO PUZZLE

STEP ONE

It is helpful to look for cells with the fewest squares, as these tend to be the easiest to solve. In this case there are several cells with just two squares.

A good place to start is on the right-hand side where there are two cells together with just two squares. These are marked with question marks below:

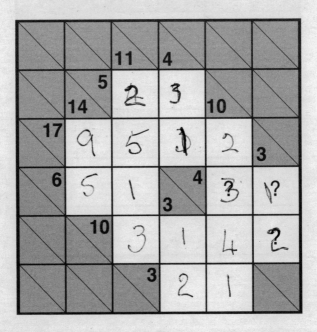

The cell running across, which must add up to **4**, can only contain 1 and 3 as no cell can have the same number twice.

The downwards cell that it joins adds up to **3**, which means the only possible combination is 1 and 2.

This therefore means that we know that the 1 must appear on both the **3** down cell and the **4** across cell. The puzzle now looks like this:

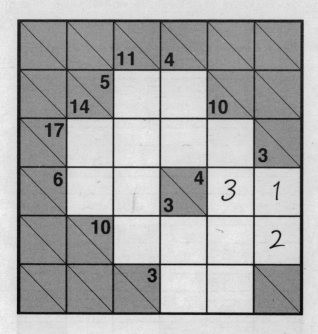

STEP TWO

There is now a 2 on the cell running across marked with **10**.

Two squares to the left of this 2 there is a downwards cell that is marked with **3**.

Because we can't have the same number on that line, and the only combination for 3 is 2+1, we can deduce that this square must be filled with a 1.

The across cell beneath it, also marked with **3**, must therefore be filled in with a 2 then a 1, as below:

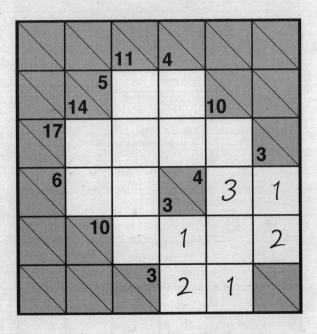

STEP THREE

We now have a 1 and a 2 on the **10** across cell. This means that the remaining squares must add up to 7.

In this case 7 has three possible combinations: 5+2, 1+6 and 3+4. As there is already a 1 and a 2 in the cell, the only possible combination is 3+4

As the blank square between the 1 and the 2 is also on another cell (the **10** down cell), which already contains a 3, we know that this is where the 4 must go and can add the 3 to the final remaining square.

With the **10** across line now filled, we can also complete the **10** down clue (3+1+4=8, therefore the last blank square must be a 2). As below:

STEP FOUR

On the left-hand side of the puzzle is another pair of cells that have two spaces, one marked **14** going down and one marked **6** going across.

The only combinations for **14** are 8+6 and 9+5. However, as the cell below must add up to **6**, the only legal move is 9+5 running downwards, as all the other numbers would make the sum too high. This makes the **6** across cell 5+1 as below:

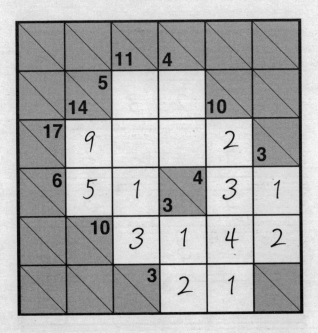

STEP FIVE

The cell across the top of puzzle adds up to **5**, which has only two combinations 1+4 and 2+3.

As 1 and 3 already appear on the cell running downwards marked with **11**, the left-hand square can only be a 2 or a 4.

However, if it was a 4 then the missing digit on the **11** down cell would have to be a 3, which is already represented. Therefore the **5** across cell must be 2+3 as below:

FINAL STEP

The puzzle is now easily solved by adding the 1 to make up the **4** down cell and a 5 to complete the **17** across/**11** down cell.

LIST OF UNIQUE NUMBER COMBINATIONS

This list helps you identify where there is only one possibility to a cell's value – invaluable to helping you solve a Kakuro.

2 Cells
3 : 1,2
4 : 1,3
16: 9,7
17: 9,8

3 Cells
6 : 1,2,3
7 : 1,2,4
23: 6,8,9
24: 7,8,9

4 Cells
10: 1,2,3,4
11: 1,2,3,5
29: 5,7,8,9
30: 6,7,8,9

5 Cells
15: 1,2,3,4,5
16: 1,2,3,4,6
34: 4,6,7,8,9
35: 5,6,7,8,9

6 Cells
21: 1,2,3,4,5,6
22: 1,2,3,4,5,7
38: 3,5,6,7,8,9
39: 4,5,6,7,8,9

7 Cells
28: 1,2,3,4,5,6,7
29: 1,2,3,4,5,6,8
41: 2,4,5,6,7,8,9
42: 3,4,5,6,7,8,9

8 Cells
36: 1,2,3,4,5,6,7,8
37: 1,2,3,4,5,6,7,9
38: 1,2,3,4,5,6,8,9
39: 1,2,3,4,5,7,8,9
40: 1,2,3,4,6,7,8,9
41: 1,2,3,5,6,7,8,9
42: 1,2,4,5,6,7,8,9
43: 1,3,4,5,6,7,8,9
44: 2,3,4,5,6,7,8,9

9 Cells
45: 1,2,3,4,5,6,7,8,9

Easy
Puzzles

See page 325 for the solution

See page 325 for the solution

See page 325 for the solution

See page 325 for the solution

See page 325 for the solution

See page 325 for the solution

7

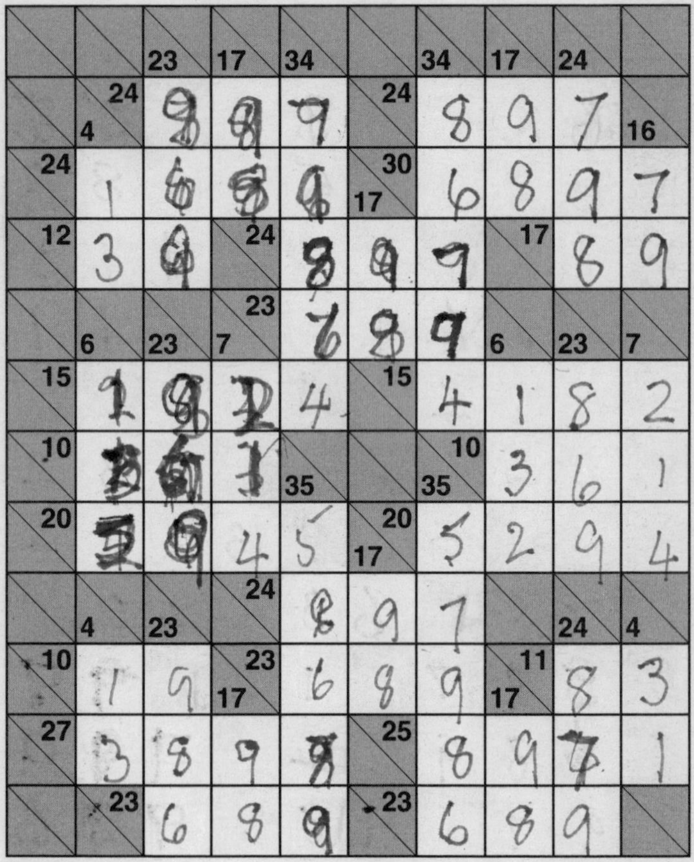

See page 326 for the solution

Kakuro grid (clues and handwritten entries):

		24	16	34		34	17	9	
	23 \ 14	8	9	6	23	9	8	6	17
29	5	9	9	8	25 \ 17	7	9	1	8
16	9	7	23	9	8	6	11	2	9
	7	23	24 \ 6	7	9	8	7	23	6
14	7	6	3	4	14	4	1	6	3
11	2	8	7	35	•11 \ 35	2	8	1	
20	4	9	3	5	20 \ 17	5	4	9	3
	16	22	23	9	8	6		20	15
14	9	5	24 \ 16	8	9	8	16 \ 17	9	8
30	7	8	9	6	29	7	9	5	8
	24	8	9	8	23	9	8	6	

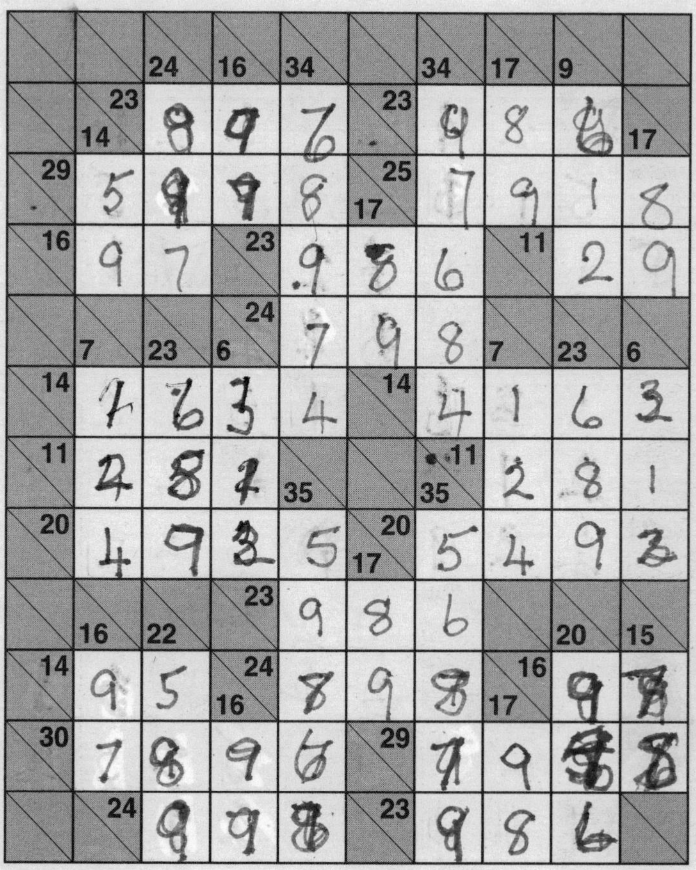

EASY PUZZLES
9

See page 326 for the solution

See page 326 for the solution

See page 326 for the solution

See page 326 for the solution

14

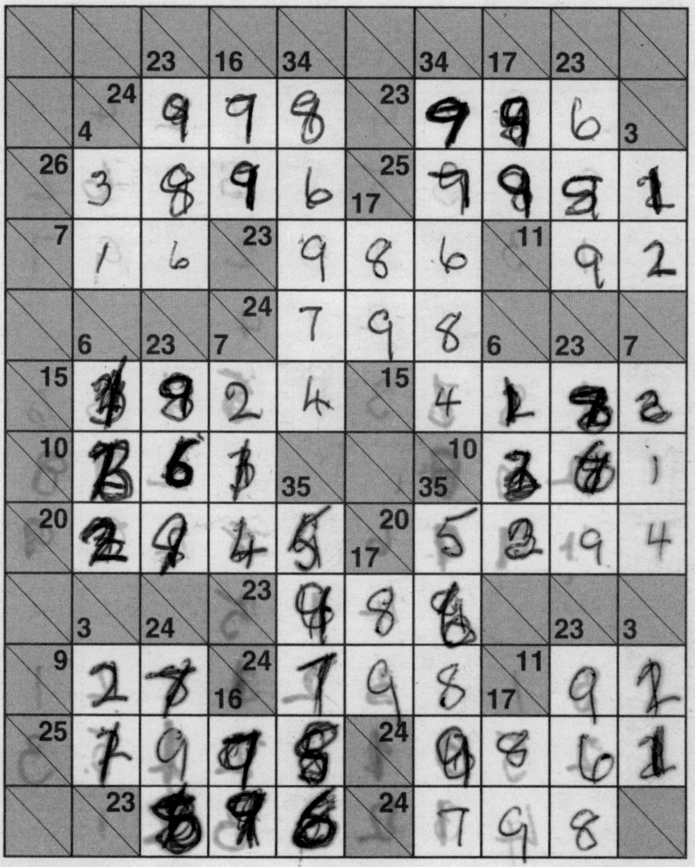

See page 326 for the solution

See page 327 for the solution

16

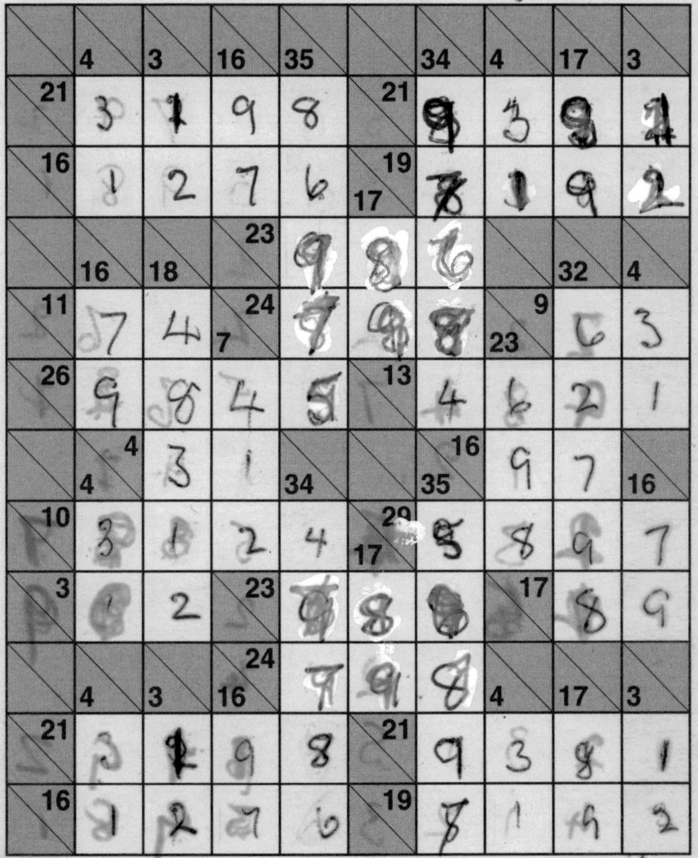

See page 327 for the solution

EASY PUZZLES
17

A Kakuro puzzle grid. Column clues along the top row: 6, 4, 3, 18, (blank), 15, 16, 17, 3.

Row entries (with down/across clues and handwritten answers):

	6	4	3	18		15	16	17	3
11	2	3	1	5	**19**	1	7	9	2
10	4	1	2	3	**21 / 4**	3	9	8	1
16 / 19			**6**	1	3	2		**33**	3
9	7	2	**7 / 7**	2	1	2	**8 / 23**	6	2
28	9	8	4	7	**15**	5	6	3	1
3 / 3	1	2		**15**		**16 / 15**	9	7	**16**
10	2	3	1	4	**29 / 4**	5	8	9	7
6	1	5	**6**	1	3	2	**17**	8	9
6 / 6	**4**	**3**	**7**	2	1	4	**16**	**17**	3
11	2	3	1	5	**19**	1	7	9	2
10	4	1	2	3	**21**	5	9	8	1

See page 327 for the solution

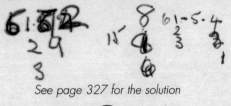

See page 327 for the solution

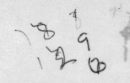

	4	22	6	16			23	12	29
14	1	4	2	7	**30**	**19**	8	2	9
22	3	2	1	9	7	**23 / 24**	9	6	8
4 / 23	1	3		**31**	9	7	8	1	8
13	8	5		**17**	8	9	**7 / 16**	3	4
16	6	7	**4**	**21**	6	8	7	**38**	7
10	6	3	1	**7**	**11**	**20**	9	8	4
	28	**9 / 11**	3	1	2		**7**	5	2
13	8	5	**3 / 7**	2	1		**4 / 24**	3	1
19	8	3	2	4	3	**16 / 4**	9	9	**16**
11	7	2	1	**31**	1	3	8	6	9
7	4	1	2		**25**	1	9	6	9

See page 327 for the solution

See page 327 for the solution

See page 327 for the solution

A Kakuro puzzle grid with the following clues and filled-in answers:

	17	35			4	14		15	16
13	8	5		**3** \ **24**	1	2	**8**	5	3
16	9	7	**20** \ **16**	9	3	9	**10** \ **4**	4	6
	23 \ **4**	8	6	8	**10** \ **4**	3	1	2	8
19	1	6	2	7	3	**6** \ **16**	3	1	2
19	3	9	9	**8** \ **3**	1	8	**4** \ **30**	3	1
	15 \ **3**	16	1	2	**16** \ **16**	9	7	**31**	**4**
8	5	3	**10** \ **4**	1	9	**19** \ **24**	9	7	3
7	2	2	4	**31** \ **16**	7	6	8	6	1
11	1	2	6	5	**14** \ **16**	7	6	1	**16**
4	3	1	**18**	3	7	8	**16**	4	7
10	4	6	**17**	8	9		**17**	8	9

7896

See page 327 for the solution

(41)

23

See page 328 for the solution

42

See page 328 for the solution

EASY PUZZLES
25

	3	17	4	35		34	3	16	17
21	1	8	3	9	**26**	8	2	7	9
19	2	8	8	7	**24** / **17**	6	2	9	8
	9	**33**	**24**	8	9	7		**31**	**11**
8	2	1	**23** / **23**	6	8	9	**15** / **23**	6	9
29	8	9	7	5	**13**	4	6	1	2
	16 / **4**	7	9	**34**		**16** / **35**	9	7	**16**
14	1	3	6	4	**29** / **17**	8	8	9	7
11	3	8	**24**	8	9	7	**17**	8	9
	3	**17**	**23** / **4**	6	8	9	**3**	**16**	**17**
21	1	8	3	9	**26**	8	1	9	8
19	2	9	8	9	**24**	6	2	7	9

See page 328 for the solution

26

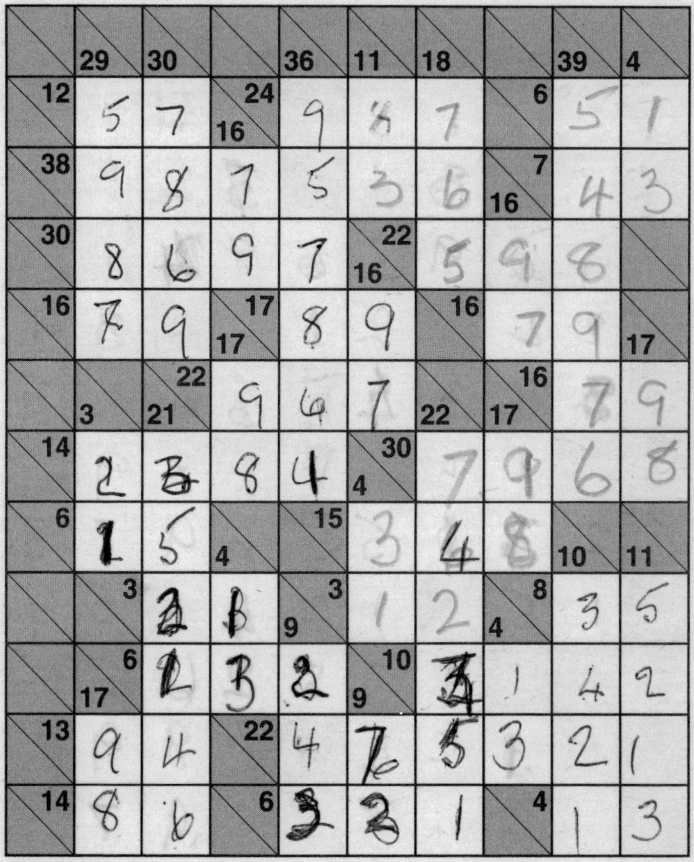

See page 328 for the solution

EASY PUZZLES
27

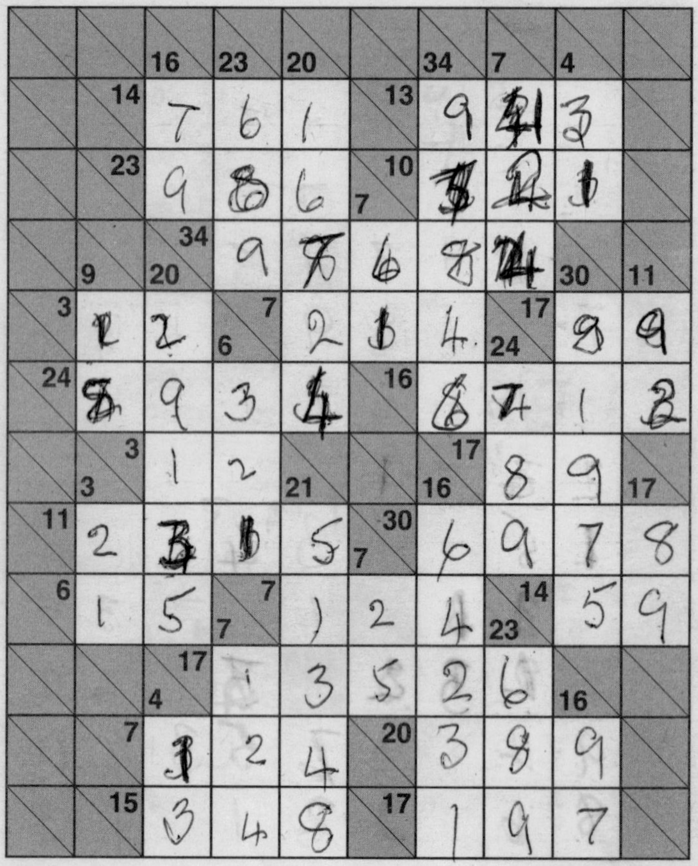

See page 328 for the solution

See page 328 for the solution

See page 328 for the solution

See page 328 for the solution

See page 329 for the solution

	4	21	38	3	10		7	9		15	16
24	9	6	8	2	4	4	3	1	8 4	5	3
16	3	4	6	7	2	15 3	4	5	3	1	2
	4	2	3	3	2	10 5	8	1	2	4
	16	7	9	6 17	3	1	2	3	4 4	3	1
	3	16 4	7	9	17	16 14	3	2	1	4	6
32	2	5	5	8	9	4	11	1	3	12	16
4	1	3	3	12 4	8	4	3	16	17 38	8	9
	15	16 4	1	3	39 6	8	8	9	5	4	7
15	5	3	2	1	4	3	13 10	9	6	21	
10	7	6	4	6 21	2	1	3	17	8	9	
11	1	2	3	5	3 11	2	1	14 17	9	5	16
17	2	4	1	7	3	22	2	9	4	1	7
4	3	1	17	9	8	34	4	8	7	6	9

See page 329 for the solution

51

See page 329 for the solution

See page 329 for the solution

See page 329 for the solution

See page 329 for the solution

See page 329 for the solution

See page 329 for the solution

39

See page 330 for the solution

See page 330 for the solution

See page 330 for the solution

See page 330 for the solution

See page 330 for the solution

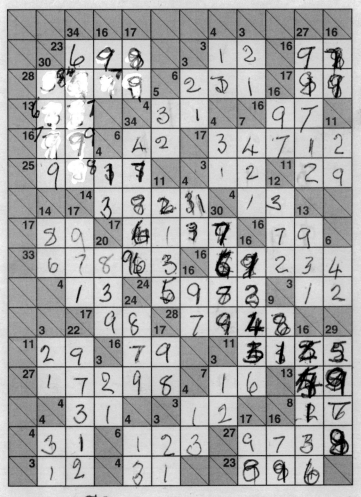

See page 330 for the solution

See page 331 for the solution

See page 331 for the solution

See page 331 for the solution

See page 331 for the solution

See page 331 for the solution

See page 331 for the solution

See page 332 for the solution

See page 332 for the solution

See page 332 for the solution

See page 332 for the solution

Medium
Puzzles

MEDIUM PUZZLES

55

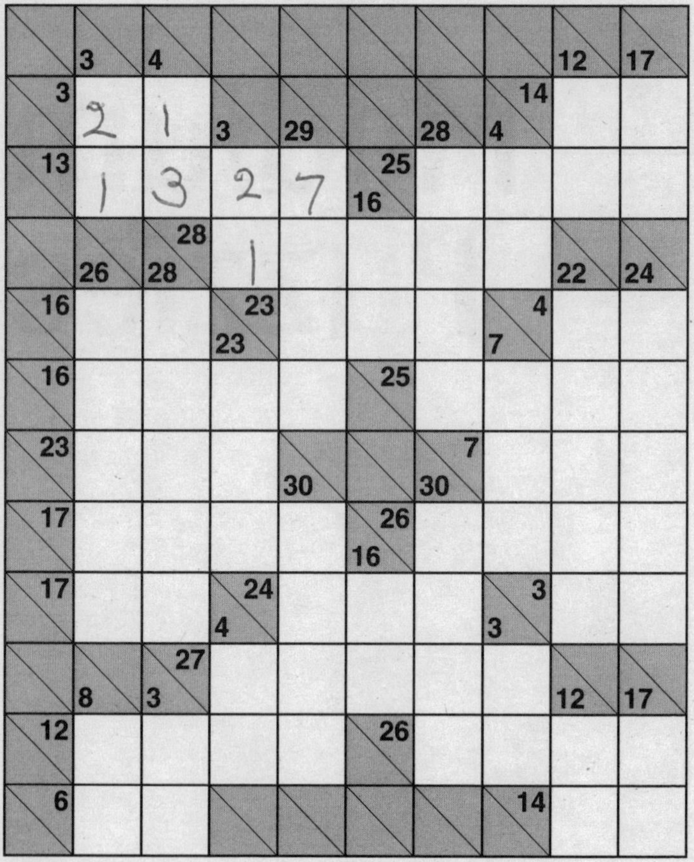

See page 332 for the solution

See page 332 for the solution

See page 333 for the solution

See page 333 for the solution

See page 333 for the solution

See page 333 for the solution

See page 333 for the solution

See page 333 for the solution

See page 333 for the solution

See page 333 for the solution

See page 334 for the solution

See page 334 for the solution

See page 334 for the solution

See page 334 for the solution

See page 334 for the solution

See page 334 for the solution

See page 334 for the solution

See page 334 for the solution

See page 335 for the solution

See page 335 for the solution

See page 335 for the solution

See page 335 for the solution

See page 335 for the solution

See page 335 for the solution

See page 335 for the solution

See page 335 for the solution

See page 336 for the solution

See page 336 for the solution

See page 336 for the solution

See page 336 for the solution

See page 336 for the solution

See page 336 for the solution

See page 336 for the solution

See page 336 for the solution

See page 337 for the solution

See page 337 for the solution

See page 337 for the solution

See page 337 for the solution

See page 337 for the solution

See page 337 for the solution

115

See page 337 for the solution

See page 337 for the solution

See page 338 for the solution

See page 338 for the solution

See page 338 for the solution

See page 338 for the solution

See page 338 for the solution

See page 338 for the solution

See page 338 for the solution

See page 338 for the solution

See page 339 for the solution

See page 339 for the solution

See page 339 for the solution

See page 339 for the solution

See page 339 for the solution

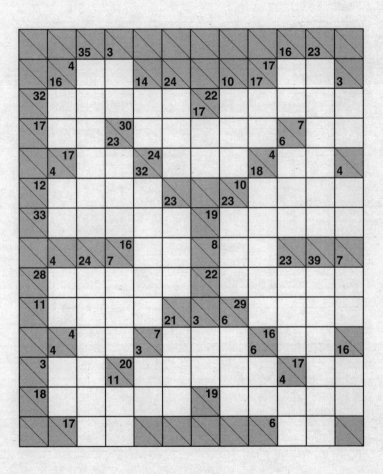

See page 339 for the solution

See page 339 for the solution

See page 339 for the solution

133

See page 340 for the solution

See page 340 for the solution

See page 340 for the solution

See page 340 for the solution

137

See page 340 for the solution

See page 340 for the solution

See page 340 for the solution

See page 340 for the solution

See page 341 for the solution

See page 341 for the solution

123

See page 341 for the solution

See page 341 for the solution

See page 341 for the solution

See page 341 for the solution

147

See page 341 for the solution

See page 341 for the solution

See page 342 for the solution

See page 342 for the solution

See page 342 for the solution

See page 342 for the solution

See page 342 for the solution

See page 342 for the solution

See page 342 for the solution

See page 342 for the solution

See page 343 for the solution

See page 343 for the solution

See page 343 for the solution

See page 343 for the solution

See page 343 for the solution

See page 343 for the solution

See page 343 for the solution

See page 343 for the solution

See page 344 for the solution

See page 344 for the solution

See page 344 for the solution

See page 344 for the solution

See page 344 for the solution

See page 344 for the solution

See page 344 for the solution

See page 344 for the solution

See page 345 for the solution

See page 345 for the solution

155

See page 345 for the solution

See page 345 for the solution

See page 345 for the solution

See page 345 for the solution

See page 345 for the solution

See page 345 for the solution

See page 346 for the solution

See page 346 for the solution

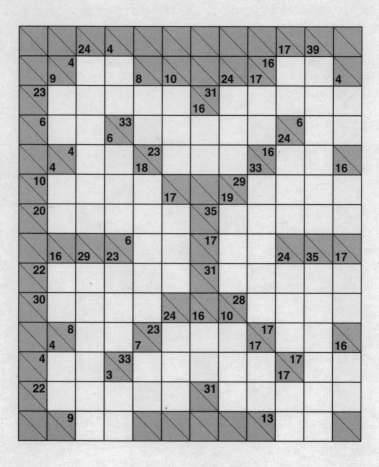

See page 346 for the solution

See page 346 for the solution

See page 346 for the solution

See page 346 for the solution

See page 347 for the solution

See page 347 for the solution

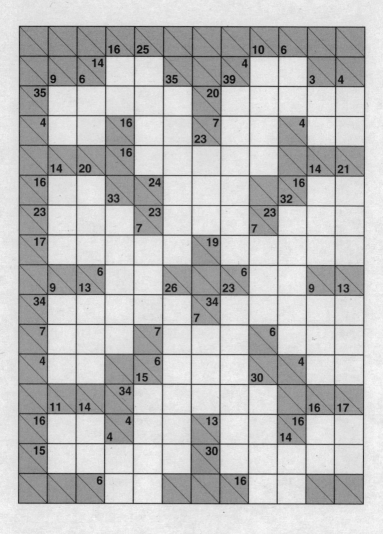

See page 347 for the solution

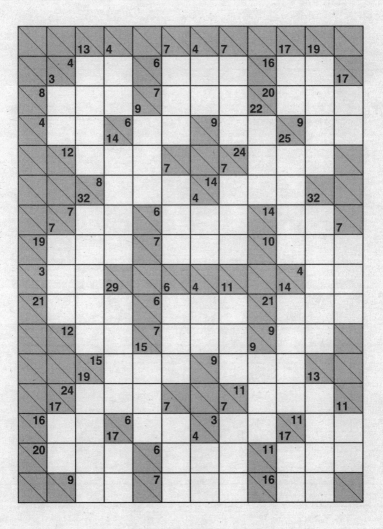

See page 347 for the solution

See page 347 for the solution

See page 347 for the solution

See page 348 for the solution

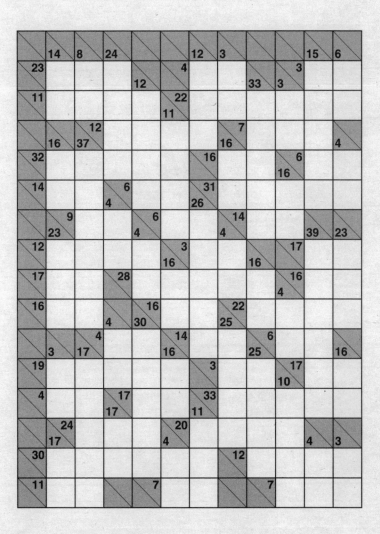

See page 348 for the solution

See page 348 for the solution

See page 348 for the solution

See page 348 for the solution

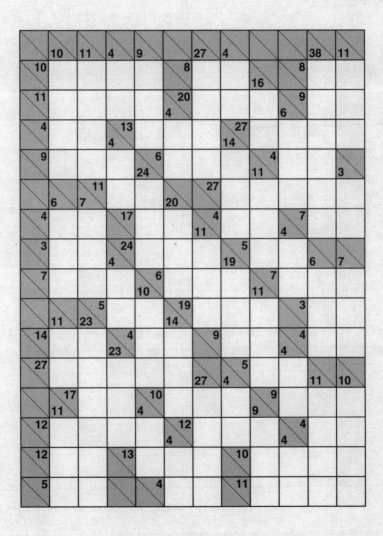

See page 348 for the solution

See page 349 for the solution

See page 349 for the solution

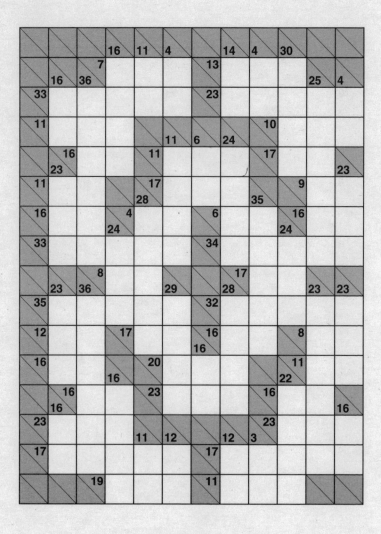

See page 349 for the solution

See page 349 for the solution

See page 349 for the solution

See page 349 for the solution

See page 350 for the solution

See page 350 for the solution

See page 350 for the solution

See page 350 for the solution

See page 350 for the solution

See page 350 for the solution

See page 351 for the solution

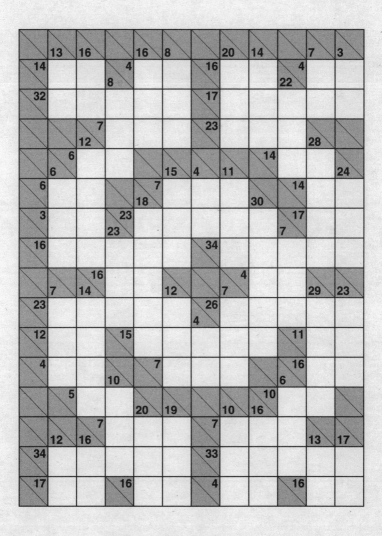

See page 351 for the solution

See page 351 for the solution

See page 351 for the solution

See page 351 for the solution

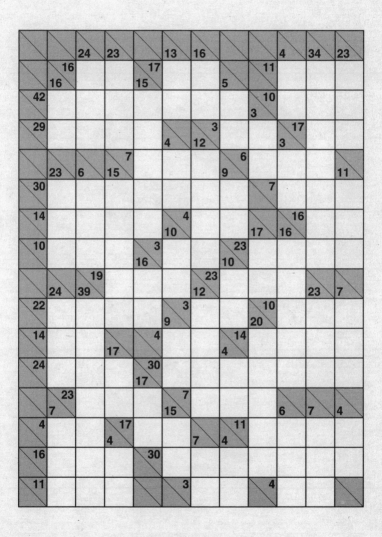

See page 351 for the solution

See page 352 for the solution

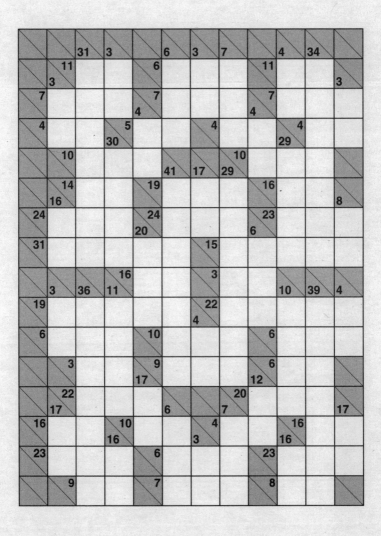

See page 352 for the solution

See page 352 for the solution

See page 352 for the solution

See page 352 for the solution

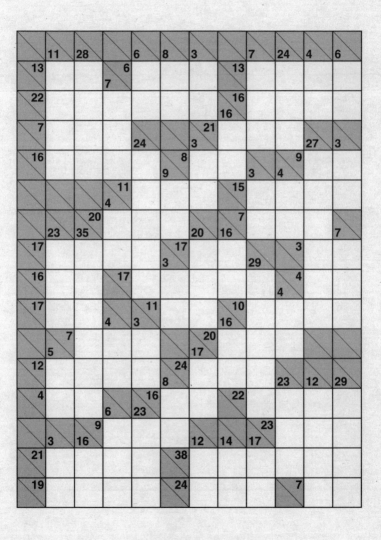

See page 352 for the solution

223

See page 353 for the solution

See page 353 for the solution

See page 353 for the solution

See page 353 for the solution

Hard
Puzzles

See page 353 for the solution

See page 353 for the solution

See page 354 for the solution

See page 354 for the solution

See page 354 for the solution

234

See page 354 for the solution

See page 354 for the solution

See page 354 for the solution

See page 354 for the solution

See page 354 for the solution

See page 355 for the solution

See page 355 for the solution

See page 355 for the solution

See page 355 for the solution

See page 355 for the solution

See page 355 for the solution

See page 355 for the solution

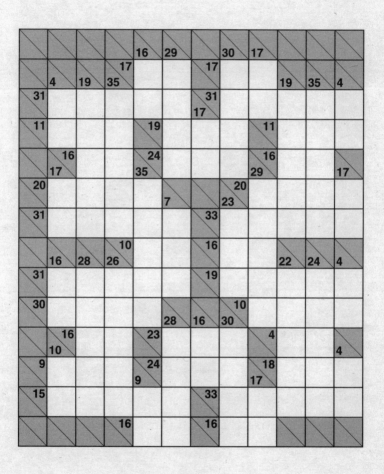

See page 355 for the solution

See page 356 for the solution

See page 356 for the solution

See page 356 for the solution

250

See page 356 for the solution

See page 356 for the solution

See page 356 for the solution

See page 356 for the solution

See page 356 for the solution

See page 357 for the solution

See page 357 for the solution

257

See page 357 for the solution

See page 357 for the solution

See page 357 for the solution

See page 357 for the solution

See page 357 for the solution

See page 357 for the solution

See page 358 for the solution

See page 358 for the solution

265

See page 358 for the solution

See page 358 for the solution

See page 358 for the solution

See page 358 for the solution

See page 358 for the solution

See page 358 for the solution

See page 359 for the solution

See page 359 for the solution

See page 359 for the solution

274

See page 359 for the solution

See page 359 for the solution

See page 359 for the solution

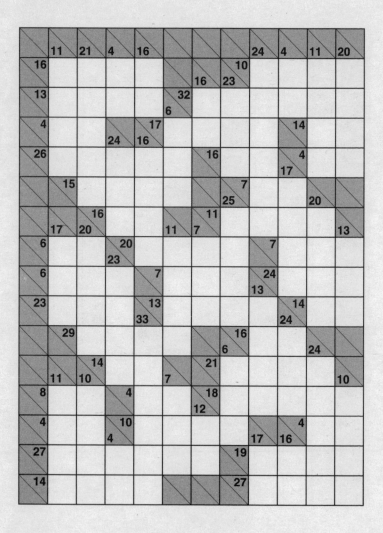

See page 360 for the solution

See page 360 for the solution

See page 360 for the solution

See page 360 for the solution

See page 360 for the solution

See page 360 for the solution

See page 361 for the solution

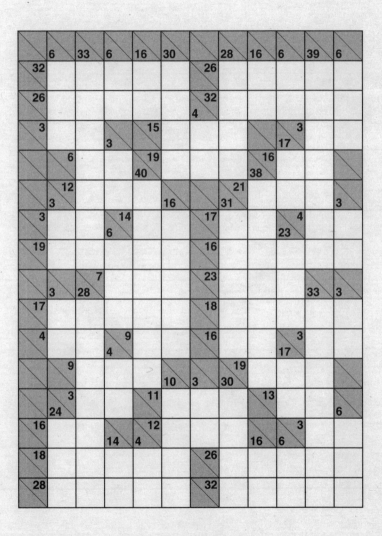

See page 361 for the solution

See page 361 for the solution

See page 361 for the solution

See page 361 for the solution

See page 361 for the solution

See page 362 for the solution

See page 362 for the solution

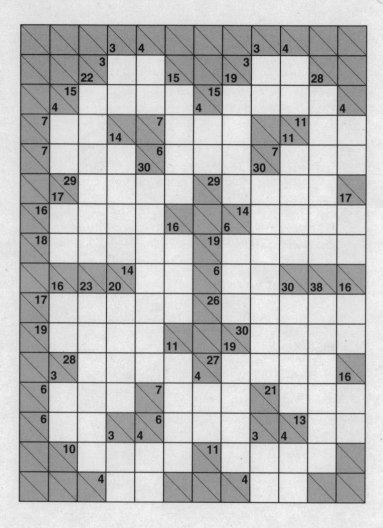

See page 362 for the solution

See page 362 for the solution

See page 362 for the solution

See page 362 for the solution

See page 363 for the solution

See page 363 for the solution

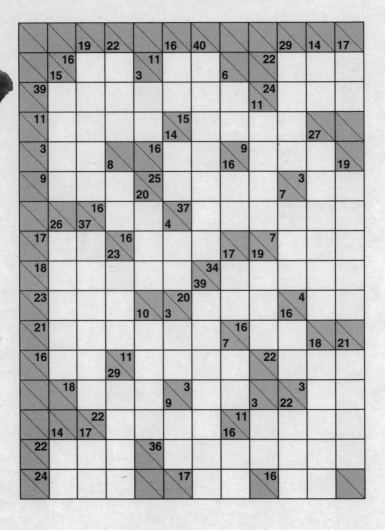

See page 363 for the solution

Very
Hard
Puzzles

See page 363 for the solution

See page 363 for the solution

See page 363 for the solution

See page 364 for the solution

See page 364 for the solution

See page 364 for the solution

See page 364 for the solution

See page 364 for the solution

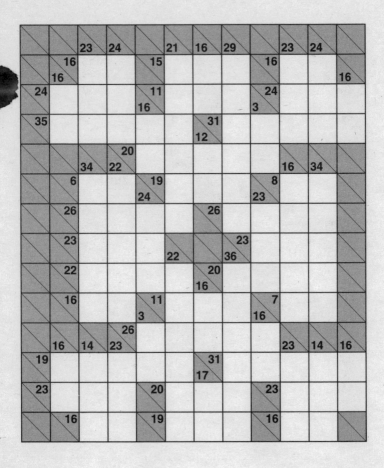

See page 364 for the solution

See page 364 for the solution

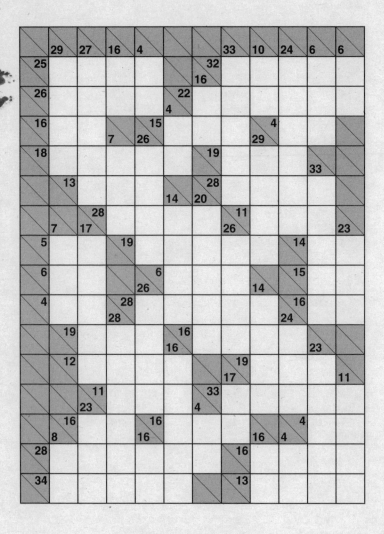

See page 365 for the solution

See page 365 for the solution

See page 365 for the solution

See page 365 for the solution

See page 365 for the solution

See page 365 for the solution

See page 366 for the solution

See page 366 for the solution

See page 366 for the solution

See page 366 for the solution

319

See page 366 for the solution

See page 366 for the solution

See page 367 for the solution

See page 367 for the solution

See page 367 for the solution

ANSWERS

EASY 1

3	2	1		8	9		7	5
1	4	2		5	7	9	6	8
	1	3	2	4		7	8	9
1	3		8	9			9	7
5	6	8	9	7		7	4	
		9	7		7	9		
	5	7		7	9	8	4	5
5	3			9	8		7	9
1	2	3		8	6	7	9	
2	4	1	3	6		9	8	7
3	1		1	5		8	6	9

EASY 2

9	8	7		9	2		4	9
8	6	9	7	4	1		6	8
7	9		9	8		1	3	
5	7	9			4	2	1	
		8	9	7	3		5	3
7	6		8	9	6		2	1
9	5		6	8	1	9		
	1	3	7			8	5	7
	2	1		8	9		7	9
2	4		1	4	7	9	8	6
1	3		3	9		7	9	8

EASY 3

	4	2	1		4	2	1	
4	2	1	3		2	1	3	5
3	1		4	2	1		2	1
			2	1	3			
1	8	6	5		5	1	8	6
4	7	9				4	7	9
2	9	8	6		6	2	9	8
			4	2	1			
1	5		2	1	3		2	1
3	4	2	1		4	2	1	3
	2	1	3		2	1	3	

EASY 4

1	3	9	8		8	9		
2	1	7	9		5	7	8	9
		8	6	9	7		9	7
	5	6		5	9	2		
9	7		9	8		3	9	4
6	8	9	7		3	1	4	2
8	9	7		7	1		3	1
		8	7	9		6	8	
5	1		5	8	9	7		
2	3	8	1		6	8	9	3
	9	8		8	9	7	1	

EASY 5

1	2	3	5		5	3	1	2
2	4	1	3		3	1	2	4
3	1		1	3	2		3	1
			2	1	4			
1	8	2	4		6	1	8	2
3	6	1				3	6	1
2	9	4	6		1	2	9	4
			1	3	2			
1	3		2	1	4		1	3
2	1	3	5		5	3	2	1
4	2	1	3		3	1	4	2

EASY 6

6	8	9		8	9		5	7
8	9	7		5	7	9	8	6
9	7		2	1		7	9	8
	2	4	1	3	6		7	9
4	1	2	3		9	3		
2	3	1				1	3	2
		3	9		3	2	1	4
7	5		6	3	1	4	2	
8	9	7		1	2		7	9
6	8	9	7	4		7	9	8
9	7		9	8		9	8	6

EASY 7

	8	9	7		8	9	7	
1	6	8	9		6	8	9	7
3	9		8	9	7		8	9
			6	8	9			
1	8	2	4		4	1	8	2
3	6	1				3	6	1
2	9	4	5		5	2	9	4
			8	9	7			
1	9		6	8	9		8	3
3	8	9	7		8	9	7	1
	6	8	9		6	8	9	

EASY 8

	8	9	6			9	8	6	
5	9	7	8		7	9	1	8	
9	7		9	8	6		2	9	
			7	9	8				
1	6	3	4		4	1	6	3	
2	8	1				2	8	1	
4	9	2	5		5	4	9	2	
			9	8	6				
9	5		7	9	8		9	7	
7	8	9	6		7	9	5	8	
	9	7	8		9	8	6		

EASY 9

	2	1	4		1	2	4	
5	1	3	2		3	1	5	2
1	3		1	2	4		1	3
			3	1	2			
1	3	6	5		5	1	3	6
2	1	8				2	1	8
4	2	9	6		6	4	2	9
			1	2	4			
1	5		3	1	2		1	3
3	2	1	4		3	1	5	2
	1	3	2		1	2	4	

EASY 10

4	2	1			1	4	2	
8	4	3	2		8	3	9	4
3	1		3	1	2		3	1
			1	2	4			
1	6	8	9		9	1	6	8
2	8	9				2	8	9
4	9	7	2		8	4	9	7
			3	1	2			
1	3		1	2	4		1	3
4	2	1	5		3	1	4	2
2	1	3				3	2	1

EASY 11

7	9			7	9		3	5
8	4	7		4	5	3	2	1
	8	9	7	5		1	4	2
2	1		9	8	6		1	3
1	3			9	7	8		
4	2	1				1	2	4
		8	7	9		3	1	
3	5		8	4	7		1	2
2	1	3		8	9	7	5	
4	2	1	6	3		9	8	6
1	3		2	1			9	7

EASY 12

	8	9		1	7		7	1
2	1	7	3	4	9		8	3
9	2		1	2		1	2	
	3	1		7	8	9	4	
		7	9	8	6		1	2
2	1		7	9	8		3	1
1	3		3	6	1	2		
4	5	1	2			1	3	
	2	3		7	9		1	3
7	9		6	9	8	7	2	1
9	8		1	8		9	7	

EASY 13

1	3	8	9		8	3	7	9
2	1	9	7		6	1	9	8
			6	8	9			
2	4		8	9	7		6	8
1	6	4	5		5	6	4	9
	3	1				9	7	
3	1	2	5		5	8	9	7
1	2		6	8	9		8	9
			8	9	7			
1	3	8	9		8	3	7	9
2	1	9	7		6	1	9	8

EASY 14

	9	7	8		9	8	6	
3	8	9	6		7	9	8	1
1	6		9	8	6		9	2
			7	9	8			
1	8	2	4		4	1	8	2
3	6	1				3	6	1
2	9	4	5		5	2	9	4
			9	8	6			
2	7		7	9	8		9	2
1	9	7	8		9	8	6	1
	8	9	6		7	9	8	

EASY 15

	2	1	4		1	2	4	
2	1	3	5		3	1	6	2
1	3		1	3	2		9	7
		2	1	4				
1	8	6	3		5	1	8	6
2	9	8				2	9	8
4	7	9	6		8	4	7	9
		4	1	5				
3	1		3	2	1		2	1
2	5	3	1		2	1	5	3
	4	1	2		3	2	1	

EASY 16

3	1	9	8		9	3	8	1
1	2	7	6		7	1	9	2
		9	8	6				
7	4		7	9	8		6	3
9	8	4	5		4	6	2	1
	3	1			9	7		
3	1	2	4		5	8	9	7
1	2		9	8	6		8	9
		7	9	8				
3	1	9	8		9	3	8	1
1	2	7	6		7	1	9	2

EASY 17

2	3	1	5		1	7	9	2
4	1	2	3		3	9	8	1
			1	3	2			
7	2		2	1	4		6	2
9	8	4	7		5	6	3	1
	1	2				9	7	
2	3	1	4		5	8	9	7
1	5		1	3	2		8	9
		2	1	4				
2	3	1	5		1	7	9	2
4	1	2	3		3	9	8	1

EASY 18

	2	3	1		3	1	2	
3	4	1	2		1	2	4	3
1	5		5	2	4		5	1
		3	1	2				
1	8	2	4		5	1	8	2
2	9	4				2	9	4
3	6	1	4		5	3	6	1
		5	2	4				
3	1		3	1	2		1	3
4	2	3	1		3	1	2	4
	4	1	2		1	2	4	

EASY 19

1	4	2	7			9	3	7
3	2	1	9	7		8	6	9
	1	3		9	7	6	1	8
8	5			8	9		2	5
9	7			6	8	7		
6	3	1				9	7	4
		3	4	2			5	2
8	5		2	1			3	1
9	2	4	1	3		7	9	
7	3	1		5	3	8	6	9
4	1	2			1	9	8	7

EASY 20

9	2	1	7		8	1	7	9
8	1	3	9		6	3	9	8
			8	9	7			
7	6		6	8	9		7	9
9	8	6	5		4	8	6	5
	7	9				7	9	
7	9	8	5		5	9	8	7
9	5		8	9	7		5	9
		6	8	9				
9	2	1	7		8	1	7	9
8	1	3	9		6	3	9	8

EASY 21

3	8	9				3	8	9
1	9	7	5		6	1	9	7
			8	7	9			
8	9		6	9	8		1	2
1	3	6	2		7	2	9	8
6	8	9				1	2	4
2	1	8	9		6	4	7	9
9	7		8	7	9		3	1
		6	9	8				
3	8	9	7		7	3	8	9
1	9	7				1	9	7

EASY 22

8	5			1	2		5	3
9	7		8	3	9		4	6
	8	6	9		3	1	2	4
1	6	2	7	3		3	1	2
3	9	7		1	7		3	1
		1	2		9	7		
5	3		1	9		9	7	3
2	4	1		7	9	8	6	1
1	2	3	5		7	6	1	
3	1		3	7	8		9	7
4	6		8	9			8	9

ANSWERS - EASY

```
6 8 9 7 .  9 3 1 8
8 9 7 5 .  7 1 2 9
. . . 8  9  6 . . .
1 6 .  9  7  8 . 5 9
7 9 8 6 .  5 9 7 8
. 7 9 .  .  . 8 9 .
2 1 7 6 .  4 6 2 1
9 8 .  8  9  6 . 8 3
. . .  9  7  8 . . .
6 8 9 7 .  9 3 1 8
8 9 7 5 .  7 1 2 9
```

EASY 24

```
. 2 9 .  2  9 1 3 7
8 1 2 .  4  8 6 7 9
9 7 .  6  1  . 5 9 .
. 6 9 8 .  . 9 8 .
. 5 7 9  8  . 6 3 .
8 5 .  9  8  6 . 5 1
9 7 .  3  6  1 2 . .
. 9 7 .  .  9 7 8 .
. 3 1 .  1  7 . 7 9
1 8 9 2  4  . 2 1 7
3 6 4 1  2  . 9 2 .
```

EASY 25

```
1 8 3 9 .  8 2 7 9
2 9 1 7 .  6 1 9 8
. . .  8  9  7 . . .
2 6 .  6  8  9 . 6 9
7 9 8 5 .  4 6 1 2
. 7 9 .  .  . 9 7 .
1 3 6 4 .  5 8 9 7
3 8 .  8  9  7 . 8 9
. . .  6  8  9 . . .
1 8 3 9 .  8 2 7 9
2 9 1 7 .  6 1 9 8
```

EASY 26

```
5 7 .  9  8  7 . 5 1
9 8 7 5  3  6 . 4 3
8 6 9 7 .  5 9 8 .
7 9 .  8  9  . 7 9 .
. . 9 6  7  . . 7 9
2 3 8 1 .  7 9 6 8
1 5 .  .  3  4 8 . .
. 2 1 .  1  2 . 3 5
. 1 3 2 .  3 1 4 2
9 4 .  4  7  5 3 2 1
8 6 .  3  2  1 . 1 3
```

EASY 27

```
. 7 6 1 .  9 1 3 .
. 9 8 6 .  7 2 1 .
. . 9 7  6  8 4 . .
1 2 .  2  1  4 . 8 9
8 9 3 4 .  6 7 1 2
. 1 2 .  .  . 8 9 .
2 3 1 5 .  6 9 7 8
1 5 .  1  2  4 . 5 9
. . 1 3  5  2 6 . .
. 1 2 4 .  3 8 9 .
. 3 4 8 .  1 9 7 .
```

EASY 28

```
7 1 .  .  9  7 .  9 6 8
9 3 8 .  8  9 7 .  7 8 9
. 7 9 8  6  . 9 5 .  9 7
7 9 .  9  7  . .  6 7 2 5
9 8 6 .  .  . .  8 9 . .
. 9 6 8 .  . 1 3 .  2 1
6 8 7 1  9  . 2 7 1 4 3
7 9 .  2  6  . 4 9 3 . .
. 1 3 .  .  . .  2 5 1
5 7 2 4 .  . 1 2 .  6 3
7 9 .  5  3  . 3 1 2 7
8 6 9 .  1  3 5 .  1 9 7
9 8 7 .  .  1 2 .  8 9
```

EASY 29

```
7 4 8 9 6 .  9 2 .  6 4
5 1 3 7 2 .  7 1 9 8 6
. 2 1 .  1  2 . 5 7 9 8
. . 2 1 .  1 8 .  . 7 9
2 1 4 3 6 .  6 9 8 5 7
1 3 .  .  9  7 . 7 9 . .
. 2 8 .  7  2 1 .  7 4 .
. . 7 9 .  1 3 .  . 1 3
6 4 9 8 7 .  5 3 4 2 1
3 5 .  .  9  8 . 1 2 . .
2 1 3 5 .  2 1 .  1 2 .
4 2 1 9 3 .  2 5 3 1 7
1 3 .  8  1  . 6 7 8 4 9
```

EASY 30

```
1 3 .  8  1  . .  2 6 .
2 1 3 9 8 .  4 2 1 3 5
. 1 3 .  7  6 1 .  4 2
2 5 .  6  8  9 .  . 1 3
9 8 .  7  9  . 2 9 .  2 1
1 7 9 5 .  3 1 2 4 .
7 9 8 .  8  9 7 .  1 4 2
. 6 2 1  8  . 5 7 2 1
3 5 .  9  2  . 9 7 .  1 3
2 1 .  .  9  8 6 .  3 5
1 3 .  9  1  7 .  3 1 .
4 2 1 5 3 .  8 9 2 1 3
. 4 3 .  .  1 8 .  2 1
```

328

EASY **31**

EASY **32**

EASY **33**

EASY **34**

EASY **35**

EASY **36**

EASY **37**

EASY **38**

ANSWERS - EASY

EASY 39

9	8			8	9	6			4	9
7	9	8		9	7	8		9	8	7
	3	1	2	6		5	2	3	1	
		2	9				1	5		
4	2	3		8	9	6		1	4	2
2	1			9	7	8			2	1
5	3	2	1	6		9	2	1	5	3
		1	3				1	3		
3	1	4	2	6		5	4	2	3	1
1	2			8	9	6			1	2
2	4	3		9	7	8		1	2	4
		4	9				9	8		
	9	8	7	6		5	7	9	8	
2	3	1		8	9	6		3	1	2
1	5			9	7	8			2	9

EASY 40

1	3			2	1		9	8	6	
5	4	9	2	1	3		7	9	8	
	2	8	1	3		9	8		7	9
2	1	6	3		9	8		6	9	8
9	7			9	8		8	9		
8	5	7	9	4	6		9	7	8	6
	9	8		7	8			7	9	
9	8		6	9		9	6		9	8
7	9			8	9		8	9		
8	6	7	9		6	4	9	7	5	8
	9	8		8	9			7	9	
7	5	8		9	7		3	6	1	2
9	8		9	8		1	2	9	4	
	9	8	6		9	3	1	8	2	5
	7	9	8		7	2			3	1

EASY 41

1	3			1	3	2			3	1
2	4	1		2	1	4		4	1	2
6	9	3	5	4		1	7	9	6	8
		2	1				9	8		
	1	5		1	3	2		7	9	
1	2			2	1	4			2	1
3	5	1	2	4		6	1	2	5	3
		3	1				3	1		
3	1	2	4	5		5	2	4	3	1
1	2			1	3	2			1	2
	3	6		2	1	4		3	2	
		8	9				9	4		
1	4	7	5	3		1	7	2	9	8
6	8	9		1	3	2		1	4	2
7	9			2	1	4			7	9

EASY 42

1	3			2	3	1			1	3
2	1	3		4	1	2		3	2	1
		8	3	1		4	3	6		
5	3	2	1				1	2	5	3
1	2			2	3	1			1	2
3	1			4	1	2			3	1
2	4	1	3	5		5	1	3	2	4
		2	1				2	1		
1	3	4	2	5		5	4	2	1	3
3	5			2	3	1			3	5
2	1			4	1	2			2	1
4	2	3	1				1	3	4	2
		8	3	1		4	3	9		
1	3	2		2	3	1		2	1	3
2	1			4	1	2			2	1

EASY 43

	3	1		7	9	8		7	9	
1	4	2		9	8	6		1	6	3
3	9	7	8	6		9	5	2	8	1
		5	9				1	3		
7	9		6	9	3	1	2		7	9
9	8			4	1	2			9	8
8	6	7	9	5		4	7	9	8	6
		9	8				9	8		
7	9	8	6	5		4	8	6	7	9
8	6			9	8	6			8	6
9	8		8	7	9	3	2		9	8
		8	9				1	3		
3	8	9	7	6		7	5	6	9	3
1	2	4		7	9	8		2	4	1
	1	3		9	8	6		1	3	

EASY 44

	6	9	8			1	2		9	7
8	4	7	9		2	3	1		8	9
6	7			3	1			9	7	
7	9		4	2		3	4	7	1	2
9	8	1	7			1	2		2	9
	3	8	2	1		1	3			
8	9		6	1	3	7		7	9	
6	7	8	9	3		6	1	2	3	4
	1	3		5	9	8	2		1	2
		9	8		7	9	4	8		
2	9		7	9			3	1	2	5
1	7	2	9	8		1	6		4	9
	3	1			1	2			1	7
3	1		1	2	3		9	7	3	8
1	2		3	1			8	9	6	

EASY 45

```
9 8 . . 6 9 8 . . 4 9
7 9 8 . 8 7 9 . 9 8 7
. 5 1 2 3 . 3 2 5 1 .
. . 2 9 . . . 1 7 . .
8 6 9 . 6 9 8 . 4 8 6
9 8 . . 8 7 9 . . 9 8
7 9 6 8 5 . 5 6 8 7 9
. . 9 7 . . . 9 7 . .
5 7 8 9 4 . 6 8 9 5 7
8 9 . . 6 9 8 . . 8 9
6 8 9 . 8 7 9 . 7 6 8
. . 4 9 . . . 9 8 . .
. 9 8 7 5 . 6 7 9 8 .
2 5 1 . 6 9 8 . 5 1 2
1 7 . . 8 7 9 . . 2 9
```

EASY 46

```
. 6 7 . 3 1 2 . 7 2 .
6 8 9 . 1 2 4 . 9 6 8
9 7 . 7 2 . 1 7 . 9 7
8 9 . 9 4 . 3 8 . 8 9
7 5 9 8 . . . 9 8 7 5
. 1 3 2 . 2 1 3 . . .
4 2 3 . 4 6 1 . 1 4 2
2 1 . 9 8 6 . . 2 1 .
1 3 2 . 7 9 8 . 4 1 3
. 1 2 3 . 3 1 2 . . .
6 8 7 9 . . . 7 9 6 8
9 7 . 3 5 . 3 4 . 9 7
8 9 . 1 2 . 1 2 . 8 9
7 5 9 . 3 1 2 . 9 7 5
. 6 7 . 1 2 4 . 8 4 .
```

EASY 47

```
7 9 . . 9 8 6 . . 1 3
6 8 9 . 7 9 8 . 1 2 4
1 4 7 5 8 . 7 5 3 6 9
. . 8 9 . . . 1 2 . .
6 8 . 8 9 3 1 2 . 6 8
8 9 . . 3 1 2 . . 8 9
9 7 6 8 5 . 4 6 8 9 7
. . 8 9 . . . 8 9 . .
6 8 9 7 4 . 5 9 7 6 8
8 9 . . 1 2 4 . . 8 9
9 7 . 4 3 1 8 2 . 9 7
. . 2 1 . . . 1 2 . .
9 1 3 5 8 . 4 5 3 7 9
4 2 1 . 9 8 6 . 1 2 4
8 4 . . 7 9 8 . . 1 3
```

EASY 48

```
3 1 . . 6 8 9 . . 1 3
4 2 1 . 8 9 7 . 1 2 4
9 7 3 5 4 . 6 5 3 8 9
. . 2 1 . . . 1 2 . .
. 8 4 . 6 8 9 . 4 7 .
8 9 . . 8 9 7 . . 8 9
9 7 6 8 5 . 5 6 8 9 7
. . 8 9 . . . 8 9 . .
8 5 9 7 4 . 6 9 7 5 8
9 7 . . 6 8 9 . . 7 9
. 9 5 . 8 9 7 . 4 1 .
. . 8 9 . . . 1 2 . .
4 1 7 5 9 . 6 5 3 9 8
8 6 9 . 6 8 9 . 1 4 2
9 7 . . 8 9 7 . . 3 1
```

EASY 49

```
. 7 9 . 8 9 6 . . 2 1 .
9 6 8 . 9 7 8 . 9 4 7
7 1 3 2 6 . 7 5 8 2 9
. . 5 1 . . . 9 7 . .
8 6 . 4 1 3 6 8 . 8 6
9 8 . . 2 1 4 . . 9 8
7 9 6 8 4 . 5 6 8 7 9
. . 9 7 . . . 9 7 . .
6 7 8 9 3 . 4 8 9 6 7
5 9 . . 4 2 1 . . 5 9
9 8 . 8 5 1 3 7 . 9 8
. . 7 9 . . . 9 7 . .
7 1 4 5 6 . 5 8 9 1 7
9 6 8 . 8 9 6 . 8 6 9
. 7 9 . 9 7 8 . . 6 2 .
```

EASY 50

```
. 6 9 8 . 3 2 1 . 6 2 .
8 1 7 9 . 5 4 2 1 7 3
9 2 . . 1 2 . . 2 4 1
. 3 1 . 3 1 2 6 . 9 7
. . 9 3 2 . 9 8 . 8 9
3 5 2 1 . 5 8 7 9 . .
1 3 . . 9 8 . 9 5 8 6
4 2 1 . 7 3 1 . 7 9 8
2 1 7 3 . 9 3 . . 7 9
. . 2 1 3 4 . 9 8 5 7
7 5 . . 2 1 . 2 7 3 .
4 6 . 4 2 3 1 . 1 3 .
8 9 7 . . 9 8 . . 2 9
6 8 9 4 7 5 . 9 7 1 8
9 7 . 6 9 8 . 8 9 7 .
```

EASY 51

7	9	4		3	1	2		9	4	7
9	8	2		1	2	4		8	2	9
	6	1	2	4		3	2	6	1	
		3	1				9	7		
2	4	5		3	1	2		1	2	4
1	2			1	2	4			1	2
3	1	4	2	5		5	4	2	3	1
		1	3				1	3		
5	3	2	1	4		6	2	1	5	3
2	1			3	1	2			2	1
4	2	6		1	2	4		1	4	2
		5	9				9	7		
	9	3	7	2		1	8	9	4	
9	8	2		3	1	2		8	2	1
7	6	1		1	2	4		6	1	3

EASY 52

	1	3		6	1	8		1	3	
2	5	1		9	4	7		3	8	9
1	3		4	8	2	9	7		9	7
	4	5	2				9	7	6	
	7	1	2		1	4	8			
	7	9		3	1	2		9	4	
4	9	8		1	2	4		2	1	8
1	3							7	9	
2	6	1		3	1	2		1	2	6
	8	3		1	2	4		5	3	
		2	7	4		1	6	2		
	7	5	9				1	3	2	
1	8		5	6	1	8	2		1	3
8	9	2		9	4	7		2	5	1
	3	1		8	2	9		1	3	

EASY 53

	8	4	9			8	9		1	3
6	5	1	7	2		9	7		2	1
8	9	7		3	1	2		9	8	
9	7	2	8		3	6	9	7	4	8
			9	8		1	3		9	7
1	3	7	2	4	6		8	3		
6	8	9		9	8		7	1		
7	9		6	7		8	6		3	1
		1	7		1	3		1	4	2
		3	8		5	7	8	3	9	6
8	1		9	7		1	3			
9	4	3	5	1	2		9	3	8	1
	2	1		2	9	7		1	3	2
2	5		2	4		8	3	5	9	4
1	3		1	3			1	2	6	

EASY 54

	3	1	6		7	9		1	4	2
3	1	2	8		6	8	7	3	9	5
1	2	4	9	3		5	9		3	1
2	4			1	9			1	2	
		1	8		6	4	5	3	1	2
6	7	8	9	5		7	9		5	9
9	8		6	1	3		8	2		
5	9	8		2	1	8		1	4	2
	2	1		8	9	5		2	1	
1	5		3	1		6	1	2	5	3
8	9	7	6	5	3		2	9		
	8	9			1	2			4	2
9	7		1	6		4	8	2	1	3
5	1	7	3	2	4		9	4	2	1
8	6	9		1	3		6	1	3	

MEDIUM 55

2	1						5	9
1	3	2	7		9	1	7	8
		1	9	7	8	3		
9	7		8	9	6		3	1
2	1	8	5		5	4	7	9
6	8	9				1	2	4
1	3	6	7		7	2	9	8
8	9		9	7	8		1	2
		3	8	9	6	1		
3	2	1	6		9	2	7	8
5	1						5	9

MEDIUM 56

1	2			7	3	9	1	2
3	1	5		9	1	8	2	4
		8	6			6	3	1
		9	8		5	7		
6	8	7	9	4	2		6	8
8	9		4	2	1		9	7
9	7		7	1	3	6	8	9
	3	5			4	8		
9	7	4			7	9		
8	9	1	7	3		4	1	2
6	8	2	9	1			3	1

MEDIUM 57

	6	9	8		9	8	7	
5	8	7	9		7	9	1	8
7	9		5	8	6		2	9
			7	9	8			
1	6	3	2		4	1	6	3
4	9	2				4	9	2
2	8	1	6		4	2	8	1
			5	8	6			
9	5		7	9	8		1	3
7	6	9	8		7	9	4	8
	8	7	9		9	8	6	

MEDIUM 58

9	8	7	5		5	7	9	8
8	6	9	7		7	9	8	6
7	9		8	4	9		7	9
			9	8	6			
1	3	6	4		8	1	3	6
4	2	9				4	2	9
2	1	8	4		6	2	1	8
			2	6	1			
3	1		1	2	4		3	1
2	4	1	3		3	1	2	4
1	2	3	5		5	3	1	2

MEDIUM 59

	4	2			7	3	1	2
7	3	1		3	9	1	2	4
9	7		3	1			3	1
6	1	3	2		2	1	5	3
4	2	1		1	6	3		
8	9		1	6	9		2	1
		3	6	9		2	1	3
3	5	1	2		2	1	3	9
1	3			2	1		4	7
4	2	1	7	3		7	6	8
2	1	3	9			9	5	

MEDIUM 60

2	6		7	9		9	8	
1	3		6	8	9	7	4	2
	2	3	1	6	7		9	8
3	4	1	2			8	7	9
1	5			1	8	2		
2	1		7	8	9		3	9
		3	9	4			1	3
2	6	1			4	9	2	1
1	8		9	6	8	7	4	
5	9	8	7	1	6		8	9
	7	9		7	9		9	7

MEDIUM 61

	3	1			3	8		
1	5	2		5	3	1	4	2
2	1		4	9	1		6	4
3	2	1	5			3	5	
	2	3	1	7		1	3	
4	2		1	2	4		2	1
3	5		2	4	9	1		
2	1			8	3	7	9	
1	3		4	9	6		9	8
6	4	9	8	7		2	1	7
	6	8			9	8		

MEDIUM 62

7	9	8		3	1		9	7
9	8	6		1	2	7	8	9
	9	7		8	9			
9	8	5	6	1	7		9	8
7	9			2	9	8	7	6
	7	9			9	5		
9	3	8	2	1		8	9	
8	1		8	3	9	5	6	7
	1	3		8	1			
1	3	2	9	8		2	1	3
2	1		7	9		4	2	1

MEDIUM 63

4	1	2			3	1	9	
5	3	1	2		9	1	2	3
		5	3	1	7	2		
1	4		1	2	4		1	3
8	9	4	5		6	9	7	8
	3	1			8	9		
3	1	2	4		7	6	5	9
1	2		2	1	4		8	7
		4	1	3	9	2		
8	7	9	3		8	1	2	3
6	9	8			3	1	9	

MEDIUM 64

1	2	3	5		5	3	1	2
2	4	1	3		3	1	2	4
3	1		1	6	2		3	1
			4	2	1			
1	2	8	6		4	1	2	8
3	1	6				3	1	6
2	4	9	6		6	2	4	9
			1	6	2			
1	3		4	2	1		1	3
2	1	3	5		5	3	2	1
4	2	1	3		3	1	4	2

ANSWERS - MEDIUM

MEDIUM 65

2	4	1			1	8	9	3
1	6	3	2		2	9	7	1
4	9		1	3		6	1	
3	1		8	9			8	9
	8	6		4	2	1	3	7
		7	9		1	3		
7	6	9	8	4		2	6	
9	8			1	3		5	7
	9	8		8	9		7	9
2	1	7	9		5	7	9	8
5	7	9	8			9	8	6

MEDIUM 66

1	2	9	7		5	8	9	7
3	1	8	9		7	6	8	9
		6	9	8				
3	4		8	7	9		6	7
4	7	9	5		6	4	2	9
6	9	8				2	1	4
1	8	6	4		2	1	3	6
2	6		6	9	8		4	8
			8	7	9			
1	2	9	7		5	8	9	7
3	1	8	9		7	6	8	9

MEDIUM 67

1	2	4				8	2	9
3	1	2	7		9	7	6	8
		1	9	7	8	6		
1	5		8	9	6		3	9
3	1	2	5		5	1	2	7
	3	1				3	1	
1	2	4	3		3	2	4	1
2	9		9	7	8		9	2
		3	8	9	6	1		
7	3	1	6		9	2	1	3
9	1	2				4	2	1

MEDIUM 68

1	3		8	9		2	1	
2	1		6	7	8	3	9	1
	8	9	7		5	1	3	2
		8	9		9	7		
1	2	6	4	3			9	8
2	4		2	1	3		7	9
3	1		7	9	8	5	6	
	7	9		7	9			
2	3	1	5		4	6	3	
1	9	3	8	7	6		1	3
	7	2		9	8		2	1

MEDIUM 69

9	8	7				9	8	6
8	6	9	5		3	7	9	8
7	9		7	1	2		7	9
		5	9	3	1	2		
9	7	3	8		5	3	9	7
8	9	6			6	8	9	
6	8	1	9		2	1	6	8
		2	7	8	9	4		
1	3		8	9	5		1	3
4	2	1	5		3	1	4	2
2	1	3				3	2	1

MEDIUM 70

3	7	9				3	7	9
1	9	8	7		7	1	9	8
		9	7	8				
3	1		8	9	6		2	1
7	9	4	6		5	2	8	9
2	4	1				1	4	2
9	8	2	7		5	4	9	7
1	2		9	7	8		1	3
		8	9	6				
3	7	9	6		4	3	7	9
1	9	8				1	9	8

MEDIUM 71

3	1					6	1	
5	2	3	1		5	1	2	3
		4	5	1	3	2		
7	9		4	2	1		7	9
1	2	8	3		2	6	3	1
8	6	9				9	8	6
3	1	6	5		3	8	1	2
9	8		2	1	4		9	8
		4	1	3	6	2		
8	7	9	4		9	7	5	8
4	9					7	9	

MEDIUM 72

4	8	3	9	7		1	4	2
2	4	1	5	3		3	8	4
1	3		2	1	4		3	1
	7	9		3	1	2		
2	1	8		3	1	2		
9	2		6	8	9		1	2
		8	4	9		7	3	1
	5	3	1			9	8	
3	1		2	1	3		2	1
1	2	3		4	8	3	9	7
2	4	1		2	4	1	5	3

MEDIUM 73

2	1						6	1
4	3	1	2		8	1	2	3
		5	3	1	9	2		
3	1		1	2	4		3	1
9	8	2	5		7	3	1	6
2	4	1				1	2	4
7	9	4	6		5	2	4	9
1	2		4	1	2		6	8
		4	9	3	1	2		
3	2	1	8		3	1	5	2
5	1						3	1

MEDIUM 74

9	1	2	7		5	8	7	9
8	3	1	9		7	6	9	8
			6	9	8			
7	6		8	7	9		1	3
9	2	4	5		6	2	9	4
4	1	2				1	4	2
6	3	1	4		4	3	6	1
8	4		6	9	8		8	6
			8	7	9			
9	1	2	7		5	8	7	9
8	3	1	9		7	6	9	8

MEDIUM 75

9	2	7	1		3	4	1	2
8	1	9	3		5	2	3	1
			4	1	2			
1	3		2	3	1		7	6
6	1	3	5		4	1	6	3
4	2	1				2	4	1
9	4	2	6		6	4	9	2
8	6		4	1	2		8	4
			2	3	1			
9	2	7	1		3	4	1	2
8	1	9	3		5	2	3	1

MEDIUM 76

2	4			3	1		6	1
7	9	3	8	4	5		4	2
3	5	1	4	2		1	2	
1	2		3	1		3	1	
		8	9	7	4		5	1
8	6	9	7		5	1	3	2
9	7		5	1	3	2		
	8	9		7	9		8	6
	9	7		6	8	9	7	5
7	4		4	2	6	7	3	1
9	5		8	9			9	8

MEDIUM 77

2	8	9			2	8	9	
1	9	7	6		5	1	9	7
			8	9	6			
9	7		9	7	8		4	3
1	6	8	2		9	6	8	1
6	8	9				8	9	6
4	9	7	6		5	9	7	4
2	4		8	9	6		6	2
			9	7	8			
2	8	9	7		7	2	8	9
1	9	7				1	9	7

MEDIUM 78

	5	4			5	7	9	8
	3	1			7	9	8	6
5	1	2	3	4	8		7	9
7	2		1	2	4		5	7
9	7			1	3	2		
8	4	9				1	2	7
		2	1	3			4	8
7	5		2	4	1		7	9
9	7		4	8	3	2	1	5
8	9	7	5			4	5	
6	8	9	7			1	3	

MEDIUM 79

9	8	1	3		5	2	3	1
7	9	2	1		3	4	1	2
			4	1	2			
6	2		2	3	1		2	4
7	4	9	6		6	7	4	9
9	6	8				9	6	8
8	1	6	5		4	8	1	6
4	3		4	1	2		9	7
			2	3	1			
9	8	1	3		5	2	3	1
7	9	2	1		3	4	1	2

MEDIUM 80

	4	2	1			3	5	
6	9	3	8		3	1	2	4
2	5	1	3	7	4		1	2
1	3		5	9			3	1
4	8			2	3	1		
3	7	2	1		1	2	3	7
		1	3	2			2	6
1	3			3	1		7	9
2	1		3	5	2	7	1	4
4	2	1	5		7	9	5	8
	4	3			9	8	6	

ANSWERS - MEDIUM

MEDIUM 81

	4	2	1			3	8	9	7
2	5	1	3			1	6	8	9
6	9	3	8	7			9	7	
1	3			9	5			6	8
	8	9			6	8	7	4	9
			8	9			9	5	
9	8	5	7	4			1	2	
7	9				1	3		7	9
	1	3			2	7	9	5	8
7	4	2	1			2	7	1	4
9	2	1	3			9	8	6	

MEDIUM 82

3	1							5	1
4	2	3	1		5	1	3	2	
		8	4	1	2	3			
9	7		2	3	1		8	9	
2	1	8	3		4	6	1	3	
6	8	9				9	6	8	
1	3	6	5		4	8	2	1	
8	9		4	1	2		9	7	
	4	2	3	1	5				
5	2	3	1		3	1	5	2	
3	1						3	1	

MEDIUM 83

8	2	1				9	1	7	
4	3	2	1		3	8	7	9	
		4	6	3	1	2			
1	4		4	1	2		5	9	
8	9	3	2		5	9	7	8	
	3	1			8	9			
3	1	2	5		8	7	1	2	
1	2		2	1	4		8	9	
		4	1	3	7	2			
8	7	9	3		9	8	7	6	
6	9	8				9	8	2	

MEDIUM 84

4	1	2				1	2	4	
5	3	1	2		9	7	5	8	
		5	3	1	8	2			
1	6		1	2	4		5	9	
7	9	8	5		6	9	7	8	
	7	9				8	9		
2	1	6	4		4	6	1	2	
9	8		3	1	2		8	9	
		4	9	3	1	2			
2	3	1	8		3	8	7	9	
4	1	2				9	1	7	

MEDIUM 85

6	9	8				7	1	9	
5	7	9	8		2	9	7	8	
		5	7	9	1	8			
2	6		9	8	6		5	9	
7	9	8	6		5	9	7	8	
	7	9				8	9		
1	2	6	5		4	6	3	1	
3	8		8	9	6		8	3	
	6	9	7	1	8				
2	3	1	7		2	6	3	1	
4	1	2				9	7	3	

MEDIUM 86

6	9	8	7		9	1	3	8	
8	7	9	5		7	2	1	9	
		9	7	8					
8	6		8	9	6		2	4	
9	4	2	6		4	8	1	6	
4	2	1				9	6	8	
6	1	3	4		5	7	4	9	
1	3		9	7	8		9	7	
		8	9	6					
6	9	8	7		9	1	3	8	
8	7	9	5		7	2	1	9	

MEDIUM 87

6	9	8				7	1	9	
5	7	9	8		1	9	7	8	
		5	7	9	3	8			
			9	8	6				
2	9	4	6		5	2	9	4	
1	8	2				1	8	2	
3	6	1	2		4	3	6	1	
			3	2	1				
		2	9	1	3	5			
3	2	1	8		2	1	5	3	
9	1	3				2	4	1	

MEDIUM 88

1	2	4				8	2	9	
3	1	2	7		9	7	6	8	
		1	9	7	8	6			
1	5		8	9	6		3	9	
3	1	2	5		5	1	2	7	
	3	1				3	1		
1	2	4	7		7	2	4	1	
2	9		9	7	8		9	2	
		3	8	9	6	1			
7	3	1	6		9	2	1	3	
9	1	2				4	2	1	

MEDIUM 89

2	1							7	9
4	3	1	2		9	7	6	8	
		5	3	1	6	2			
1	3			1	2	4		9	7
9	7	4	5		7	8	2	1	
4	2	1				9	6	8	
8	9	2	3		2	6	1	3	
2	1		2	1	4		8	9	
		4	1	3	8	2			
8	7	9	4		9	7	6	8	
4	9						7	9	

MEDIUM 90

2	9	8				2	9	8
1	7	9	3		8	1	7	9
		2	1	4				
4	8		1	3	2		3	1
3	6	1	4		1	2	4	9
1	4	2			1	2	4	
2	9	4	3		5	3	1	6
6	7		2	1	4		6	8
		1	3	2				
2	9	8	7		1	2	9	8
1	7	9				1	7	9

MEDIUM 91

6	9	8				9	6	8
5	7	9	8		1	3	2	5
		5	7	9	2	8		
8	4		9	8	6		8	4
6	3	1	5		3	4	9	2
4	1	2				2	4	1
9	2	4	7		4	1	6	3
7	6		8	9	7		7	6
		6	9	7	1	8		
2	3	1	6		2	6	3	1
4	1	2				9	7	3

MEDIUM 92

	9	5				9	6	8
3	2	1	9	7		7	8	9
1	4	2	8	9	7		9	7
	1	3			8	9	7	5
2	5			2	1	8		
1	3		5	7	9		5	8
	7	1	3			7	9	
5	7	9	8			5	1	
7	9		6	3	1	9	8	7
8	6	9		1	2	8	6	9
9	8	7				7	9	

MEDIUM 93

7	5			3	6		4	2
8	9	7		1	5		1	3
6	8	9	7		7	1	9	4
9	7		5	7	9	3	8	6
		7	6	9	8		2	1
	4	9				2	3	
4	2		6	3	2	1		
7	3	9	8	1	6		7	5
6	1	5	9		5	7	8	9
9	7		5	8		9	6	8
8	9		7	9			9	7

MEDIUM 94

1	3	2		9	7		8	9
2	1	4	3	8	9		9	7
		5	1			7	6	8
5	7	1			5	9		
8	6		9	4	7	8	6	5
7	9		2	1	3		2	1
9	8	3	4	2	1		1	3
	1	8			7	4	2	
2	4	5			7	9		
3	1		1	2	5	8	7	9
1	2		3	1		6	9	8

MEDIUM 95

	7	5			5	7	8	9
1	3	9	7		7	9	6	8
3	6	8	9	7	4		9	7
	1	6	8	9		1	7	
1	2			4	1	2		
3	4	2	1		3	4	1	2
		9	3	7			3	1
	3	1		8	4	7	9	
3	1		4	5	1	3	2	7
1	2	3	5		2	1	4	9
2	4	1	3		7	9		

MEDIUM 96

2	1	3				4	9	2
4	2	1	5		9	1	7	3
1	3		3	5	7	2	4	1
3	5	6	1	2			8	5
	7	9		1	5	7		
	4	8	9		9	8	4	
		7	5	8		9	7	
2	5			9	8	6	5	3
6	9	8	3	7	5		3	1
3	7	9	1		4	3	1	2
1	8	6				1	2	4

ANSWERS - MEDIUM

MEDIUM 97

9	2			7	9		9	5
2	1	6	7	9	8		4	2
	6	8	9		3	4	2	1
8	7	9		4	5	2	1	3
5	9		8	2		1	3	
		7	9		2	3		
	7	9		2	1		1	6
9	8	6	7	4		1	3	2
7	9	8	5		3	4	9	
8	6		6	5	1	2	4	3
5	1		3	1			8	1

MEDIUM 98

	9	8	6		7	2	1	
	7	6	1		9	1	3	
		9	7	5	8	4		
2	1		2	1	4		2	1
8	9	2	3		6	4	9	7
4	2	1				1	4	2
9	7	4	8		5	2	8	9
1	3		9	8	6		1	3
		9	7	5	8	4		
	7	6	2		9	1	3	
	9	8	6		7	2	1	

MEDIUM 99

6	8	9		7	9		2	9
2	6	7		9	8	7	1	2
7	9		1	3		9	7	
3	7	9	2	8			3	1
1	5	8		6	1	3	4	2
		7	9		6	2		
9	7	2	8	6		9	6	8
8	9			7	3	1	2	6
	8	9		5	1		7	9
2	1	8	7	9		9	3	7
9	2		9	8		8	1	5

MEDIUM 100

1	2			8	9		8	9
4	8	3	9	7	5		9	7
2	4	1	6	3		6	7	
			8	9	7	5		
7	6	2	5		9	8	4	
9	8	6				7	2	1
	9	7	8		8	9	1	3
	1	3	8	9				
8	3		5	7	9	6	8	
8	9		4	1	3	7	2	6
9	7		9	2			7	9

MEDIUM 101

8	9	6			3	1		
9	7	2	8		8	2	7	9
		1	3	2		6	9	8
5	7			1	2	3		
8	6	9	7	3	5		6	7
9	8	7	5		8	3	1	9
7	9		9	7	3	1	2	5
		4	8	3			4	8
8	9	6			2	3	1	
9	7	2	8		8	2	7	9
		1	3			6	9	8

MEDIUM 102

8	4		7	8	9		6	2
7	2	9	5	6	8		7	5
9	6	8				2	4	1
3	1			6	1	8	3	
5	3	1	4	2	9		9	7
		3	2	1	4	7		
5	3		1	3	7	9	6	2
7	2	9	3				7	5
9	6	8				2	4	1
3	1		5	4	2	1	8	3
8	4		3	2	1		9	7

MEDIUM 103

1	3	6	7	2		4	7	9
2	1	8	9	4		1	2	4
8	6	9		3	7	2	9	8
9	7			1	2		3	1
4	2		1	5		3	1	2
		1	3		3	1		
1	3	2		4	1		3	1
2	1		1	2			8	6
8	9	2	7	5		1	4	2
9	7	4		3	8	4	7	9
4	2	1		1	6	2	9	8

MEDIUM 104

1	9	8	3		2	6	1	3
2	7	9	1		7	9	3	8
		6	2	1	3	8		
			4	2	1			
2	8	1	5		4	2	8	1
1	6	3				1	6	3
4	9	2	6		5	4	9	2
			4	2	1			
		6	2	1	3	8		
1	9	8	3		7	9	3	8
2	7	9	1		2	6	1	3

MEDIUM 105

6	1			7	9		8	9
8	6	9		6	5	8	9	7
9	4	7	1	3		9	7	
7	9		2	4	1	6	3	9
		8	4	9	3		5	8
	4	9				8	6	
2	5		7	2	6	9		
1	7	4	9	6	8		2	7
	3	1		7	9	1	3	8
3	1	2	4	5		2	1	4
1	2			3	1		7	9

MEDIUM 106

		9	7		2	7		
7	9	8	5		3	9	7	8
9	8		8	6	9		5	9
		4	9	2	1	6		
8	6	1	2		8	9	2	4
9	8	6				4	1	2
7	9	3	5		5	7	3	1
		2	1	7	9	8		
5	9		6	9	8		8	9
7	8	9	3		6	8	9	7
		7	2		7	9		

MEDIUM 107

2	4	1	9	8			5	9
1	2	3	7	9	4		9	8
3	1				2	9	8	7
5	3			7	1	2		
		7	2	9	8		5	1
7	8	9	3		5	1	3	2
5	9		1	7	3	2		
		7	8	9			7	5
8	7	9	4				9	7
5	9		5	3	1	7	8	9
9	8			1	2	9	6	8

MEDIUM 108

5	8	9	7		3	1	9	8
2	9	7	1		1	2	7	9
		8	9	7	5	4		
9	8		8	9	6		9	8
3	1	6	2		4	8	1	2
8	6	9				9	8	6
1	2	8	5		2	6	3	1
7	9		3	2	1		7	9
		2	4	1	5	6		
9	7	1	2		9	8	3	1
8	9	3	1		7	9	1	2

MEDIUM 109

8	9		5	3		8	5	9
6	7	9	3	1		7	9	8
	7	1	2	3	5			
3	1		2	4	1	9	3	5
7	3	9	4	6			9	7
9	6	8				2	4	1
1	2			6	4	1	7	3
8	4	2	1	7	9		1	2
		1	3	9	8	7		
7	9	5		8	6	9	5	7
9	8	3		5	7		8	9

MEDIUM 110

	3	1					9	8		
7	6	2	9	8		2	9	7	3	1
9	8		5	7	9	1	8		5	2
	9	8		9	8	7		3	1	
1	2	6	3			3	2	4	1	
3	7	9	8	6		8	5	1	2	3
		7	9		6	2				
1	6	4	9	8		9	1	6	4	2
3	1	2	5			7	8	9	5	
	3	1		4	2	1		9	7	
1	2		2	9	1	3	5		8	9
3	4	2	1	8		2	1	3	6	7
	8	9					1	5		

MEDIUM 111

	3	1			6	4	1	3	2	
1	2	4	3		8	9	2	1	4	5
3	1	2	5		9	7			3	1
2	4		1	3		6	9	8		
		9	7	8	5		7	9	3	8
8	6	5	9		7	9			1	3
9	8	7		1	2	7		8	6	9
7	9			3	1		8	9	2	7
5	7	9	8		3	2	1	7		
		7	9	8		9	2		4	2
9	7			9	8		5	2	1	3
5	4	2	1	3	6		3	4	2	1
	8	1	3	7	9			1	3	

MEDIUM 112

1	3			1	2		7	2	8	9
5	7	9	8	6	4		9	1	6	8
	1	4	2		1	6		4	9	7
		3	1	2		7	1	3		
1	5		3	1		8	3		8	3
2	3	1	4		7	5		6	3	1
	1	2		2	8	9		8	9	
9	8	4		7	9		6	9	7	8
7	2		2	1		9	5		5	9
		5	1	3		8	7	9		
6	3	1		4	2		1	6	2	
8	1	2	3		5	4	9	8	6	7
9	2	4	1		1	3			5	9

339

ANSWERS - MEDIUM

MEDIUM 113

		3	1		7	9		3	1	2
1	3	7	9		5	8	7	9	6	4
3	6	9	8	7		4	9		3	1
	1	8	6	9	7			1	2	
1	2			8	9		2	3	4	1
3	4	9			8	3	9		8	3
		8	3	9		1	8	2		
7	1		1	8	9			1	4	3
9	4	8	2		6	2			2	1
	7	9			8	1	7	9	3	
7	9		7	9		3	9	8	6	7
2	6	7	9	8	5		8	6	1	9
6	8	9		7	9		5	7		

MEDIUM 114

9	7	4	3	8			5	7	8	9
8	9	2	1	6	7		7	9	6	8
3	2	1			8	7	9		9	7
5	1		1	2		9	8		1	5
		8	5	3	9			9	7	
1	3	2		1	7	2	3	4		
2	1		9	5		5	1		1	3
		6	7	4	9	8		3	2	1
	6	8			7	4	8	9		
7	5		8	9		9	7		5	9
9	7		9	7	8			9	7	8
6	8	9	7		4	7	2	6	1	3
8	9	7	5			9	4	8	2	1

MEDIUM 115

7	9	4	3	8		3	1		5	7
9	8	2	1	6		6	5	7	9	8
2	3	1			1	2		9	8	6
1	5		7	2	3	1	4		7	9
	6	7	9	1			9	8		
		9	8		3	1		6	9	8
9	8		6	8	9	3	5		7	9
7	9	8		1	8		4	3		
		3	1			7	2	1	3	
5	7		4	2	3	9	1		5	9
9	8	7		5	1			9	7	8
8	6	9	7	3		4	9	8	2	1
7	9		2	1		2	7	6	1	3

MEDIUM 116

8	5		9	5		3	1		2	4
6	3		8	9		1	2		5	2
9	7		7	6	4	9	8		3	1
	9	7		3	1	2		9	7	
7	6	1		1	2	4		6	1	7
9	8	4	6	7		7	6	8	4	9
	3	1					9	7		
7	1	2	3	4		5	8	4	9	7
9	6	8		6	8	9		2	8	9
	7	9		8	9	7		1	2	
9	4		3	1	6	4	2		7	4
8	3		9	7		8	4		6	2
6	2		8	9		6	1		3	1

MEDIUM 117

1	7		1	8		5	9		8	9
3	8		6	9	4	7	8		9	7
	2	1		4	2	1		1	3	
2	9	8		2	1	3		2	5	1
1	3		2	1		2	1		1	2
4	1	2	7	3		4	6	1	2	3
		3	4			8	2			
2	4	1	5	3		5	9	8	6	7
1	3		1	2		6	7		9	8
4	8	9		6	8	9		7	5	9
	9	7		8	9	7		9	8	
8	5		2	1	6	3	7		2	1
9	7		7	9		8	9		1	3

MEDIUM 118

9	7	8		8	9	7		9	8	7
8	9	6		6	8	9		4	6	9
		4	2	1	6	3		7	9	
1	5		5	7		6	7	8		
3	2	5	1			8	9		7	9
	7	9	3	4	8			2	1	4
2	1	7		9	7	1		3	9	8
6	9	8			9	2	7	1	3	
1	3		1	2			9	5	8	7
	5	3	4		3	5		5	9	
	1	3		7	4	9	8	5		
1	4	2		3	1	2		6	8	9
3	2	1		1	2	4		8	9	7

MEDIUM 119

		7	9				8	1		
5	6	2	3	1		8	9	5	6	7
1	3		8	2	9	7	5		8	9
	1	3		6	8	9		8	9	
3	2	1	5			3	6	2	1	
1	4	2	3	5		6	8	9	7	3
		1	2		8	9				
7	1	9	2	4		5	7	6	8	9
9	5	8	7			5	8	9	7	
	2	6		4	2	1		9	7	
1	3		2	7	1	3	5		6	8
5	4	8	7	9		2	1	3	4	9
	3	1				2	1			

MEDIUM 120

5	3		8	1			1	2	7	9
2	4	1	9	3	5		5	3	9	8
1	2	3	5		1	7		1	3	
3	1		7	9		9	7		8	9
		3	6	2	1		8	9	6	7
8	9	7		8	3		9	7		
9	7		8	7		3	1		8	9
	8	9		9	2		8	9	7	
8	3	9	7		2	1	8	3		
9	7		5	1		7	9		3	4
	4	8		3	1		7	9	5	8
1	2	7	9		4	3	2	7	1	9
3	1	9	8			5	1		2	6

MEDIUM 121

8	9		2	1		1	8		2	1
9	7		1	3		8	9	2	1	3
7	1	3	4	2	5		3	1		
	6	2			8	9	7		6	4
		7	9			5	6	7	9	8
6	4	1	2		2	1		9	8	6
3	5		8	3	9	7	6		7	9
4	2	1		2	7		8	9	5	7
2	1	3	4	5			1	3		
1	3		3	1	2			4	6	
	9	7		4	5	3	2	1	6	
8	9	7	1	2		4	2		7	9
9	7		2	9		2	1		9	8

MEDIUM 122

2	5	7	1		8	6	9		5	8
1	9	8	3		4	8	7	1	3	9
		9	7		7	9		2	1	3
9	8		2	1		7	2		2	1
7	9	8	4	6	2		3	1		
	7	9		9	7		1	2	4	3
9	5			8	6	2		2	1	
7	6	9	8		8	3		3	1	
	7	9		9	6	4	1	5	2	
5	3		6	7		1	2		3	1
1	2	3		8	9		1	2		
2	4	1	7	9	3		8	4	9	7
3	1		9	6	8		3	1	7	2

MEDIUM 123

	6	8	9			3	1		6	4
8	4	9	7		7	4	5	3	2	1
9	2		8	1	9		3	1	4	2
2	1	6	4	3		3	2		1	3
	7	9			2	1		1	3	5
9	3	8		1	3		1	2		
8	5		2	3	9	8	7		5	7
		2	1		8	1		4	8	9
6	4	1		8	7			1	2	
5	7		8	9		1	3	2	9	8
8	6	9	7		1	3	9		7	9
9	8	7	5	6	4		2	1	6	4
7	9		9	7			1	3	4	

MEDIUM 124

		9	7		8	9				
7	9	4	8	6		6	7	8	2	9
9	8	2		5	3	7		6	1	7
	2	1		2	1	4		9	7	
9	7		6	1		9	7		3	1
8	6	5	9	4		5	3	1	4	2
	1	3				9	2			
8	6	9	7	5		3	1	4	2	7
9	7		8	9		1	2		3	9
	2	1		3	5	6		9	7	
9	8	2		8	9	7		8	5	9
7	9	4	8	6		8	9	6	1	7
	9	7		9	7					

MEDIUM 125

1	3		1	3		9	7		1	3
2	1		5	4	1	3	2		2	1
	2	1		7	3	5		1	3	
		9	6	8		1	6	2		
8	6		3	1		4	8		5	9
9	7	3	1	2		2	7	3	1	4
	4	1	2			4	1	2		
1	9	2	4	8		8	9	2	4	5
3	8		7	9		1	3		3	1
	9	5	6		2	5	1			
	2	1		4	1	3		2	3	
1	3		8	7	3	5	9		1	3
2	1		3	1		9	7		2	1

MEDIUM 126

8	5		9	2		5	1		8	3
9	7		4	1	6	3	2		7	1
	8	1		8	9	7		1	2	
3	9	8		6	8	9		8	9	3
1	3		7	9		8	9		1	2
2	4	3	1	7		6	4	2	3	1
		7	8			8	4			
7	6	9	5	8		4	3	1	5	2
8	9		9	7		5	1		3	1
9	5	7		2	1	3		8	9	3
	8	9		4	2	1		1	8	
3	1		8	9	4	7	3		6	8
1	2		3	1		2	1		7	9

MEDIUM 127

1	3		1	5		3	9		3	9
5	2	1	3	6		2	7	3	1	4
	1	3		9	8	6		1	2	
9	7			7	9	8			5	9
8	9		2	4	6	1	3		9	8
6	5	7	9	8		9	5	8	6	7
	1	3				7	9			
3	4	2	5	1		2	1	3	5	4
1	5		7	9	4	6	8		3	1
2	1			4	2	1			1	2
	3	1		2	1	3		1	2	
1	7	2	3	8		5	9	3	7	1
2	9		1	7		4	7		9	2

MEDIUM 128

8	9		3	8		5	9		7	9
4	2	3	1	7		4	7	9	8	5
	6	1		4	2	1		7	9	
1	3			2	1	3			5	1
2	1		8	9	4	7	3		1	2
4	5	2	3	1		2	1	6	4	3
	1	5				5	9			
7	6	4	9	8		9	7	8	5	6
9	5		7	3	6	1	2		7	9
8	9			7	9	8			9	8
	7	9		9	8	6		1	3	
9	3	8	1	5		2	7	3	8	9
7	1		3	6		3	9		1	8

ANSWERS - MEDIUM

MEDIUM 129

```
4 2 1 . . 8 9 . . 3 1
2 6 3 1 4 7 . 7 4 9 1
1 3 . . 3 9 . 5 9 6 8 3
. 1 3 2 . 1 3 . 1 2 .
3 9 8 6 . 2 1 . 2 4 3
1 7 9 . 6 4 7 9 . 5 1
. . 7 3 8 . 2 7 3 . .
1 5 . 1 2 6 4 . 1 3 7
3 4 2 . 9 8 . 4 2 1 9
. 1 3 . 7 9 . 8 7 9 .
3 8 6 9 5 . 1 7 . 7 9
1 9 4 7 . 3 6 9 7 4 8
. 2 1 . . 1 2 . 9 8 6
```

MEDIUM 130

```
2 5 . 7 1 . 3 4 . 9 7
1 3 . 8 9 . 1 2 7 8 9
. 4 8 9 7 . . 1 3 . .
3 1 9 . 2 3 4 . 1 2 .
1 2 7 9 . 1 2 4 . 9 2
. 6 8 9 . 7 9 . 3 1 .
3 2 1 5 7 . 3 5 2 1 4
1 5 . 1 3 . 1 2 4 . .
2 1 . 6 8 9 . 3 1 2 4
. 3 1 . 6 7 3 . 9 7 8
. . 7 9 . . 4 2 3 1 .
5 4 2 1 3 . 1 3 . 4 2
9 7 . 2 1 . 2 1 . 3 1
```

MEDIUM 131

```
2 6 3 9 . 3 1 . 7 1 .
4 2 1 7 . 1 2 . 9 3 8
1 3 . 6 8 9 3 7 . 7 9
. 7 9 . 1 2 . 9 1 8 .
2 1 3 . . 7 1 . 3 9 8
6 9 8 . . 8 3 9 . 6 1
. . 7 1 . . 8 7 . . .
7 1 . 2 1 7 . 8 9 7 .
9 3 8 . 3 8 . 6 4 1 .
. 7 9 8 . 2 1 . 9 7 .
7 9 . 7 4 9 8 1 . 3 1
9 8 7 . 2 1 . 3 1 2 4
. 5 9 . 1 3 . 5 3 1 2
```

MEDIUM 132

```
. 4 7 2 1 . 6 2 1 3 .
4 2 9 1 3 . 9 3 5 8 7
3 1 . 4 9 7 8 1 . 9 5
. 3 6 . 2 1 4 . 8 7 .
. . 9 5 . . . 4 9 . .
6 2 8 7 9 . 2 1 4 6 3
8 1 . 9 8 . 1 3 . 9 7
3 4 2 1 6 . 4 9 8 7 5
. . 9 8 . . 2 1 . . .
7 8 . 2 1 4 . 2 3 . .
7 9 . 2 1 3 5 7 . 2 9
4 5 2 1 3 . 6 8 9 1 7
. 8 1 3 9 . 8 9 7 5 .
```

MEDIUM 133

```
1 3 . . 9 8 . 5 3 2 1
2 1 5 8 7 9 . 3 1 4 2
. . 7 9 . 4 1 2 . 1 3
. 5 9 . 2 7 3 1 . 3 5
2 4 . 9 7 . . 4 2 . .
3 1 . 4 1 7 2 . 1 2 4
1 2 . 8 5 9 7 1 . 5 3
5 3 1 . 6 8 9 3 . 3 1
. . 2 6 . . 8 2 . 1 2
5 7 . 9 7 1 6 . 1 4 .
7 9 . 8 9 6 . 1 2 . .
8 6 9 7 . 2 7 3 9 6 8
9 8 7 5 . 3 9 . . 7 9
```

MEDIUM 134

```
1 3 . 1 2 . 3 1 . 7 9
5 2 1 3 4 . 1 2 5 3 8
. 9 2 . 1 2 4 . 1 4 .
. 8 4 . 3 1 2 . 3 1 .
9 7 . . 8 7 4 9 6 . 2 1
8 6 7 9 5 . 8 1 2 5 3
. . 9 6 . . . 3 1 . .
8 6 5 7 9 . 1 5 4 8 9
9 7 . 5 1 6 3 2 . 9 7
. 5 9 . 6 8 9 . 6 4 .
. 9 8 . 8 9 7 . 9 7 .
6 8 7 9 3 . 6 7 8 5 9
2 4 . 7 2 . 8 9 . 1 7
```

MEDIUM 135

```
6 9 8 . . 4 1 2 . 9 8
8 7 9 5 . 2 3 1 . 7 9
. . 7 9 8 5 . 9 8 6 .
1 7 . 7 9 . 1 7 2 . .
7 9 3 8 6 . 7 9 . 8 3
. 1 2 4 . 6 9 8 7 2 1
. 3 1 . 3 1 8 . 9 7 .
9 8 5 7 6 2 . 2 6 1 .
7 2 . 8 9 . 4 6 8 9 7
. 8 9 5 . 1 3 . 3 1 .
6 8 9 . . 5 2 1 3 . .
9 7 . 8 9 6 . 4 9 8 7
8 9 . 9 7 8 . 8 6 9 .
```

MEDIUM 136

```
8 1 6 . . 2 6 1 9 8 .
9 6 8 3 . 1 8 3 7 9 6
7 3 9 1 . 8 9 6 . 6 1
5 2 . 4 8 9 . 2 1 . .
. 8 2 9 . . 4 3 1 2 .
8 5 9 7 . 1 8 5 . 9 3
9 3 . . 8 7 9 . 3 1 .
3 1 . 8 9 5 . 7 9 8 5
1 2 3 4 . . 9 4 8 . .
. 1 2 . 3 7 2 . 2 5 .
1 6 . 6 9 8 . 3 8 6 9
3 8 9 1 6 2 . 1 9 3 7
9 7 3 8 1 . . 6 1 8 .
```

MEDIUM 137

6	8	9		1	3			9	4	6
8	4	7	9	5	6		6	7	9	8
9	7		7	8		9	8		7	9
	1	2		9	2	8		9	8	
1	9	3	8	7	6		8	7	6	9
2	3	1	5		1	7	2		1	8
		7	9	8		9	3	8		
7	5		7	9	6		7	9	5	8
9	8	3	6		4	3	1	7	2	9
	7	1		2	8	1		3	1	
1	3		2	1		2	1		7	9
2	6	1	3		8	5	7	9	4	6
4	9	3			9	7		7	9	8

MEDIUM 138

	1	7		3	9	8		1	3	
9	6	8		1	7	6		2	4	1
7	4	9	8	6		7	8	5	9	3
		6	1	2		9	6	8		
5	3			4	9		9	7	4	6
1	2	3			3	8	7		7	5
2	4	1		7	1	9		7	8	9
3	1		3	9	2			9	6	8
4	6	3	1		8	6			9	7
		7	2	1		2	1	3		
7	1	9	4	3		4	2	1	9	3
9	6	8		2	1	3		2	4	1
	2	6		4	2	1		4	8	

MEDIUM 139

			1	3				7	4	9
3	1	2	5	4	7		7	9	2	8
1	2	4	3		5	7	9	8	1	6
	3	1			9	8				
1	5	3		2	3	1	5	8	7	9
3	9		7	6	9	8		6	9	8
		1	3			7	9			
2	1	4		3	1	7	2		3	5
1	3	2	8	4	5	9		7	2	1
			5	2			9	7		
8	2	9	7	1	5		2	5	1	3
6	1	8	9		3	7	6	8	9	4
9	4	7			9	5				

MEDIUM 140

5	7	9	3	8			1	3		
3	2	6	1	4		7	2	1	3	9
	9	8		3	9	4	2	1	8	
9	8			9	7		9	8	6	
7	6	1		8	6	9		9	7	
	3	2	6	1	7		4	2	1	
9	7		9	7		8	9		4	3
8	9	7		3	2	5	7	1		
	2	4		1	4	2		2	4	3
	8	9	7		1	3			2	1
9	1	6	4	2	3			2	1	
7	6	8	9	4		2	9	1	3	7
	3	1			6	8	4	7	9	

MEDIUM 141

	1	3						1	3	
3	5	1	9	2		8	9	2	6	1
1	2		8	1	9	7	5		8	3
	9	7		6	8	9		8	9	
7	8	9	5			9	7	1	2	
9	6	8	7	5		4	8	9	7	5
		9	8		1	6				
3	1	9	8	6		2	7	8	6	9
1	2	4	3				5	9	8	7
	4	8		4	2	1		7	9	
9	7		2	8	1	3	5		7	9
8	5	6	7	9		2	1	3	5	8
	9	7						1	2	

MEDIUM 142

5	9		2	1		3	1		9	5
7	8	1	3	9		9	4	3	8	7
	5	2	1	3		6	2	1	3	
2	1		4	1	2			2	1	
1	3		2	3	1			1	3	
4	2	3	1	5		5	3	1	4	2
		1	2			1	2			
8	4	7	9	5		6	7	9	4	8
6	5		8	7	9			5	6	
9	7		6	9	8			7	9	
	8	5	3	9		1	7	5	2	
3	9	1	2	7		3	8	9	1	7
1	6		1	3		7	9		3	9

MEDIUM 143

4	9	8			3	9	7	1	2	
6	7	9	8	4		7	8	9	6	4
		7	5	1	3	2			3	1
3	8		7	2	1	4	3		5	3
1	4	6	9	7	8		5	9		
	9	8		5	9		8	7	5	9
9	7		5	3		7	9		9	7
8	6	7	9		1	5		9	8	
	9	8		2	3	1	4	6	8	
9	8		7	6	9	8	3		7	9
5	9		8	7	9	5	3			
1	3	7	9	2		6	2	1	4	3
6	7	9	8	4			2	6	1	

MEDIUM 144

9	4		1	2	4			9	8	
5	1	2	3	4	9		3	2	1	7
	3	1		1	3	2	4		9	8
8	9	3	7		1	5		7	9	
1	2		1	8		4	3	1		
		7	8	9	2		8	4	7	9
8	9	6		2	1	7		6	9	8
9	7	4	8		7	9	8	5		
	1	3	4		8	1		4	1	
2	1		5	1		7	4	9	8	
1	3		4	2	3	1		1	3	
4	6	9	2		9	4	3	2	1	5
	2	7			4	2	1		2	9

343

MEDIUM 145

1	2		9	8		6	2		2	1
3	1		7	9		3	1		1	3
	8	3		5	3	2		3	8	
6	3	1		2	1	4		1	3	6
9	7		8	3		5	3		7	9
8	9	2	6	1		1	2	6	9	8
	1	3			8	9				
7	6	4	9	8		2	1	8	7	9
8	9		7	9		9	4		9	8
9	5	7		5	8	6		2	1	7
	8	9		7	9	8		9	8	
1	2		1	2		5	8		2	7
3	1		3	1		7	9		3	9

MEDIUM 146

2	9		7	9		8	9		7	9
1	6	4	9	8		6	7	9	4	8
	3	1		7	5	4		6	2	
	1	2		2	1	3		8	3	
1	2		8	3		1	5		1	3
3	4	6	2	1		2	3	1	5	4
	8	9				1	2			
5	6	9	7	8		9	7	4	2	1
1	3		5	9		1	2		1	3
	1	3		3	1	5		6	3	
	2	1		1	2	7		9	7	
1	4	2	3	5		6	7	8	4	9
3	8		1	2		8	9		8	7

MEDIUM 147

6	8	1	9			1	2		1	3
8	9	2	7	6		3	1	2	5	4
9	7	4		8	6		7	9		
7	5			7	9			1	4	2
		2	9	8	7	4			6	5
	2	9	1	3		9	5		2	1
2	1	7	3			2	9	1	3	
8	4		4	7		2	1	7	3	
1	3		5	9	8	7	3			
9	5	8			5	9			8	5
	1	2		9	8		4	9	2	
5	6	7	9	8		3	7	2	4	1
9	7		8	1		9	1	7	3	

MEDIUM 148

9	8		9	7			7	9	6	8
7	5	9	8	6		3	2	7	1	9
	9	7		3	2	5	1		2	6
1	3		8	9	7			1	3	
5	7	8	9		9	7		2	9	8
	1	2	4			9	5		8	1
		1	3	2		8	7	9		
2	9		1	6			4	8	9	
1	4	3		8	9		1	6	7	9
	2	1		7	2	3		8	4	
2	1		9	2	3	1		3	1	
4	8	9	7	6		4	2	1	5	3
1	3	7	2			3	1		2	1

MEDIUM 149

1	3		7	1			9	7	8	
2	7	1	9	3	4		2	7	1	3
5	9	7	8		5	9	1		5	9
		2	6		9	8			2	1
3	5	4			8	7	9	4		
1	2		3	1	2		6	1	3	
	3	1	7	2		3	8	2	1	
	1	4	2		2	1	7		2	1
	2	1	3	4			8	5	3	
3	5			2	1		1	3		
1	3		2	1	5		5	9	7	8
4	2	1	3		8	5	2	7	1	9
2	1	3				1	3		2	6

MEDIUM 150

9	7		2	4		4	2		9	8
8	9		1	2		2	1		7	9
6	1	2	3	5		5	3	2	1	6
	8	9		6	4	1		9	8	
7	2			1	2	3			3	9
9	3	2	1	7		6	3	1	2	7
		4	2				1	2		
1	2	5	3	6		4	6	8	7	9
3	1			3	1	7			9	8
	8	3		4	2	9		7	2	
6	4	1	3	2		5	7	9	8	4
9	7		1	5		6	8		3	1
8	9		2	1		8	9		1	2

MEDIUM 151

	9	7		3	1	4	2		2	5
2	6	1		5	3	2	1		6	8
6	8	9	7	4		1	3		8	9
		8	9	6	7		4	6	5	7
8	9	6		8	9			9	7	
9	7	5	8		8	9		8	9	
		9	7		7	9				
	3	1		8	9		7	8	2	9
	1	2		4	9		9	1	7	
8	6	4	5		8	7	9	3		
9	4		3	1		1	2	4	9	3
5	2		2	4	1	3		2	4	1
7	9		1	2	3	5		1	3	

MEDIUM 152

3	1		8	9		4	9	1		
4	2	1	6	3		6	8	3	9	7
8	4	3	9	7	5		6	8	9	
9	7		8	9		7	9			
	8	9	3		2	1	8	7	9	
	3	1		8	9	5		9	8	
9	8	7		2	1	8		7	8	6
7	9		8	9	2		7	9		
8	6	2	9	7			9	5	3	
	1	3		1	8			7	9	
1	2	4		6	9	7	3	4	8	
3	1	7	4	2		5	3	1	2	4
	9	6	1		2	1		1	3	

MEDIUM 153

9	7		1	3		9	8		9	7
8	9	1	4	2		2	5	1	8	9
		3	2	1		7	9	3		
4	2		3	5	2	1	7		4	2
2	1		9	1	3			2	1	
5	3	1	2	4		4	1	2	5	3
	3	1				3	1			
1	3	2	4	5		6	2	4	1	3
4	2		8	9	5		4	2		
2	1		7	2	8	9	3		2	1
	2	6	1		3	1	7			
4	7	6	8	9		8	5	9	6	7
8	9		9	7		1	2		8	9

MEDIUM 154

1	3	2		3	1	7			
6	3	2	1	4		1	2	9	4	3
9	2		3	1	2		6	4
8	4		1	2	4		1	5
4	1		8	7	4	9	6		2	1
7	6	8	9	5		8	1	7	3	2
	1	7		5	9
4	3	2	5	1		9	7	8	5	6
6	2		4	3	6	1	2		8	4
8	1		9	8	6		3	1
9	5		7	9	8		1	2
7	4	9	8	6		2	5	1	4	3
	7	9	8		3	1	2

MEDIUM 155

6	8	9					1	2
4	1	7	2		1	2	7	3	4	9
8	4	9	7		3	4	9		1	7
9	7		8	9		1	3	2
		6	7	5		5	1	2
5	2	3		8	1	2		7	9
2	4	1		1	9	2		7	1	6
3	1		4	2	7		5	9	3	8
	3	9	5		1	3	4
		8	7	9		1	2		3	1
3	9		1	6	7		8	3	9	6
1	6	7	3	8	9		3	1	6	2
	8	9				1	2	4

MEDIUM 156

8	7	9	3	1		3	1		2	1
4	3	6	1	2		1	2		1	3
	9	8		9	2		2	8
9	8		9	3	8		4	1	3	6
6	1	3	7	2		5	2		9	8
8	2	1		6	8	9	3		7	9
		8	4	9	7	1
1	3		4	1	7	2		9	3	8
2	1		9	7		8	3	7	1	6
3	9	8	7		2	6	1		7	9
	2	1		4	1		1	2
1	7		3	1		6	1	2	8	9
3	8		1	2		8	5	3	9	7

MEDIUM 157

6	5		8	3	9		9	8		
9	7		6	1	7		7	9		
8	9		9	7		5	1	7	3
	6	8		5	1	3	2		5	1
	5	1	2	3		5	1	2	3
4	1	2	3		7	9		3	1
8	9	7		1	2	7		8	9	2
	3	1		3	6		8	9	7	1
7	8	9	6		8	6	9	7
9	5		8	3	9	7		6	9
	2	6	5	1		3	1		8	4
	9	7		7	9	4		1	2
	8	9		9	8	2		3	1

MEDIUM 158

9	7		1	8			4	3	8	9
8	4	7	6	9	2		2	1	9	7
6	8	9		2	1	4	6
	8	7		3	2	1	8	6	9
2	6		9	8		1	3	9	8	7
1	3		3	1		7	9
4	7	2		9	8	6		5	1	2
	9	7		3	1		5	8
1	8	3	7	9		2	1		7	9
2	4	1	3	8	9		2	1
		1	6	7	9		6	8	9
3	8	9	4		8	4	5	2	3	1
1	9	7	2		7	9		9	7

MEDIUM 159

1	3		1	2		1	2		3	1
4	8	3	7	9		3	1	7	6	2
2	4	1	3	5		7	4	9	8	6
7	9		8	9	5		9	7
			7	8	9
	2	1	8	6		4	2	1	8
	1	3	6		1	3	6
	4	2	9	6		5	4	2	9
			7	5	1
1	3		8	9	3		2	4
4	8	3	7	9		4	8	3	7	9
2	4	1	3	5		2	4	1	3	5
7	9		1	2		9	7		1	2

MEDIUM 160

2	9	8	6	7		5	2		4	8
1	8	6	2	9		3	1		7	9
4	7	9		8	9	1		7	9
	5	7	9		7	2	1	8	6	9
	5	8	7		4	6	9	8	7
1	3	2		1	3		2	6
2	1		9	8	6		1	3
	1	3		9	7		5	2	1
8	6	4	9	7		9	8	4
9	1	2	7	3	4		9	7	5
	9	7		1	8	9		6	8	1
3	8		3	5		8	6	9	7	4
1	3		1	2		6	1	8	9	2

MEDIUM 161

```
3 1 . .   3 1 . .   3 1
1 2 3 .   2 6 3 .   4 1 2
8 9 6 . . 2 1 4 8   9 7
2 4 1 3 6 . . .     3 1
. . 2 1 8 . 6 2 .   5 7
6 8 4 . 7 2 9 1 .   9 8
7 5 . 6 9 3 8 5 .   7 9
8 9 . 2 5 1 3 . 7   8 6
9 7 . 1 3 . 7 8 9
. 1 3 . . 5 6 8 9   7
9 7 8 4 1 2 . . 1   3 5
1 2 4 . 3 9 8 . 6   8 9
3 1 . .   8 1 . .   6 8
```

MEDIUM 162

```
. 6 3 . .   1 2 .   6 8 9
4 2 1 5 .   3 4 5 1 2 7
3 5 . 1 2 4 . 9 3 1 8
1 3 . 8 3 9 6 . 7 9
2 1 . 3 1 5 2 . 2 4 3
6 4 9 . . 7 1 2 . 5 1
. . 8 9 . . . 1 2
9 7 . 8 9 7 . . 1 4 2
2 1 3 . 8 5 9 7 . 3 5
. 6 8 . 4 1 7 2 . 1 3
3 8 9 5 . 6 8 9 . 2 1
2 9 7 1 5 3 . 8 7 6 4
1 2 4 . 1 2 . 9 5
```

MEDIUM 163

```
. 3 1 . .     9 7
8 9 3 2 1 . 7 9 8 4 3
1 5 . 6 3 7 9 8 . 5 1
. 1 3 . 6 9 8 . 7 9
1 4 2 3 . . 5 9 8 7
3 2 1 5 9 . 5 7 8 6 9
. . 1 5 . 8 9
7 1 9 2 3 . 6 8 7 1 9
9 6 8 7 . . 4 9 7 8
. 2 6 . 8 9 6 . 8 9
1 3 . 6 9 7 3 8 . 8 9
3 9 2 1 7 . 1 9 8 6 7
. 8 1 . . 9 4
```

MEDIUM 164

```
. 6 9 8 .   2 1 .   9 7
4 3 2 1 7 . 1 3 . 1 3
2 1 . 7 9 3 . 5 4 2 1
. 4 3 2 5 1 6 . 7 8 9
2 6 1 3 . 4 8 . 9 6 8
1 8 . 5 2 9 8 6
3 9 . 5 7 . 7 9 . 8 1
. 6 9 8 4 5 . . 9 3
2 1 4 . 9 2 . 3 1 6 2
8 9 7 . 6 1 5 2 3 4
6 8 9 4 . 3 9 7 . 1 2
1 3 . 2 1 . 7 1 2 3 4
9 7 . 1 3 . 8 9 6
```

MEDIUM 165

```
. 1 5 3 . 1 3 . 5 9 7
1 2 7 9 . 2 1 . 6 8 9
3 4 9 8 7 5 . 9 8
. . 8 6 9 . 4 7 9 8 6
4 2 1 . . 1 2 . 1 3 2
1 7 3 4 2 5 . . 7 9
2 1 . 2 1 3 4 7 . 7 9
. 9 7 . . 6 8 9 3 1 2
2 3 1 . 1 2 . . 9 6 8
6 8 9 7 4 . 1 2 4
. . 8 9 . 4 3 1 2 6 7
7 9 5 . 1 3 . 3 1 8 9
9 8 6 . 2 1 . 5 7 9
```

MEDIUM 166

```
4 9 8 2 1 .   8 9 3 5 7
2 5 7 1 3 .   6 8 2 1 9
. . 9 7 .   .   2 1
. . . 3 1 6 5 7 .
4 2 . . 8 9 7 .   . 4 2
2 1 . . 6 8 9 .   . 2 1
1 3 4 2 5 . 8 4 2 1 3
. . 2 1 .   . 2 1
4 2 1 3 6 . 5 1 3 4 2
2 1 . . 2 1 3 . . 2 1
1 3 . . 4 2 1 . . 1 3
. . . 5 9 4 6 8 .
. . 9 7 . .   3 1
2 5 7 1 3 . 3 7 2 1 9
6 9 8 4 7 . 7 9 3 5 8
```

MEDIUM 167

```
8 6 . . 9 8 6 . . 8 6
5 7 . 1 7 9 5 8 . 5 7
9 8 . . 3 8 . 9 7 . 7 9
7 9 8 4 . . . 5 7 9 8
. . 9 2 6 . 7 9 8 .
. 4 6 . 9 7 8 . 4 6
6 2 1 . 8 9 6 . 9 8 4
9 7 . . . . . . 2 1
8 1 2 . 9 7 8 . 8 9 2
. 3 1 . 8 9 6 . 9 7
. . 4 5 6 . 9 1 7
4 2 3 1 . . 2 5 1 3
3 5 . 2 7 . 1 3 . 4 2
1 3 . 6 9 7 2 8 . 3 5
2 1 . . 8 9 6 . 2 1
```

MEDIUM 168

```
4 9 7 . . 8 9 . 7 9 .
1 6 8 9 5 7 . 2 8 3 1
2 8 9 7 . . 2 1 . 1 2
. 6 8 . 1 3 . 1 2 .
4 2 1 . 7 2 5 1 3 .
1 3 . 7 9 . 1 2 . 5 9
2 5 1 3 . 8 4 3 6 1 2
1 2 . 2 9 7 . 9 7 .
5 4 3 6 1 2 . 7 8 4 9
9 7 . 9 7 . 8 9 . 3 8
. 7 8 4 9 6 . 4 2 6
8 9 . 6 8 . 8 6 .
8 9 . 1 3 . 9 8 6 1
9 7 8 3 . 6 5 7 9 8 2
. 9 7 . 7 9 . 7 9 4
```

MEDIUM 169

```
. 9 5 . . . 3 1 .
6 5 7 8 9 . 8 4 5 2 1
3 1 . 9 7 . 6 1 . 1 3
. 3 1 6 4 2 .
7 9 . 8 9 7 . 7 9
6 8 9 . 6 8 9 . 9 6 8
1 3 7 2 4 . 5 2 7 1 4
. 5 1 . 1 5 .
6 9 8 4 7 . 7 4 8 6 9
2 1 4 . 4 2 1 . 3 2 1
1 3 . 2 1 3 . 1 3
. 7 9 4 6 8 .
7 9 . 1 3 . 4 9 . 7 9
4 5 3 2 1 . 2 6 5 9 8
. 1 5 . 7 9 .
```

MEDIUM 170

```
1 3 . 1 3 2 . 9 7 .
2 5 1 . 2 1 4 . 8 3 9
1 3 . 2 4 . 1 8 . 1 8
4 2 6 . 9 7 8
3 1 4 . 1 5 8
6 1 . 1 3 2 . 9 5
2 9 8 . 2 1 4 . 1 7 2
1 2 . 3 1
4 8 9 . 1 3 2 . 8 9 4
7 5 . 2 1 4 . 1 8
. 8 4 3 . 5 1 3
8 7 9 . 6 2 3
9 7 . 2 4 . 1 2 . 2 9
8 3 9 . 1 3 2 . 8 1 2
1 8 . 2 1 4 . 9 7
```

MEDIUM 171

```
5 3 . 1 8 6 . 1 2 .
2 4 . 6 9 8 . 3 1 2 4
3 1 . 4 7 9 8 . 6 8 9
1 2 . 3 4 . 5 4 3 1 2
. 5 1 2 6 . 1 3 . 3 1
. 7 5 . 1 2 . 2 4
1 3 2 . 1 2 . 2 1
2 1 . 1 2 . 2 1 . 1 3
. 1 2 . 3 1 . 4 2 1
. 3 2 . 1 2 . 5 9
3 1 . 1 2 . 9 7 8 4
2 4 1 3 6 . 8 9 . 5 3
1 2 3 . 4 6 1 3 . 2 4
8 9 6 7 . 8 2 1 . 3 1
. 2 9 . 9 6 8 . 1 2
```

MEDIUM 172

```
1 5 . 9 7 . 3 1 . 3 4
7 9 3 8 6 . 1 2 . 5 1
2 3 1 . 3 1 2 4 . 1 2
9 8 . 8 9 3 . 7 1 2 3
. 7 2 9 . 1 5 2 .
. 1 3 . 1 2 3 . 7 5
8 9 3 7 . 6 8 9 . 6 8
6 8 9 . 2 7 9 . 6 8 9
9 7 . 8 6 9 . 8 3 9 7
7 5 . 2 1 3 . 6 2 .
. 8 9 7 . 9 1 3 .
6 8 9 7 . 2 1 4 . 5 9
7 5 . 6 2 1 3 . 9 7 8
8 9 . 5 4 . 2 3 7 1 4
9 7 . 3 1 . 5 1 . 2 7
```

347

ANSWERS - MEDIUM

MEDIUM 173

	7	9		7	9	8		9	8	
2	1	7		9	8	6		7	1	2
9	2		7	8		9	2		2	9
	3	8	4				6	2	3	
	7	9	8		9	1	3			
	4	9		7	9	8		1	6	
8	1	2		9	8	6		8	9	3
9	7							3	1	
6	2	1		7	9	8		1	7	2
	3	5		9	8	6		3	8	
		2	1	4		4	1	2		
	4	3	5			7	5	6		
9	8		9	8		9	2		8	1
7	1	2		7	9	8		2	9	8
	2	9		9	8	6		1	3	

MEDIUM 174

9	6	8			3	1			2	1
5	2	3	1		4	2	7	1	3	5
		4	2	1	5		4	2	1	
7	8	9	5	3		7	9		5	1
9	5		4	2		9	8	7	4	3
	6	3		5	1		5	9		
6	2	1	3		2	1			9	8
8	9		1	9	8	3	7		7	9
9	7			7	9		9	3	4	6
		3	1		6	8		1	5	
2	4	1	5	7		1	2		8	9
1	3		8	9		9	8	3	6	7
	7	8	9		3	7	9	1		
8	1	9	7	3	2		6	2	3	1
9	2			1	6			4	1	2

MEDIUM 175

	8	2	1			8	6		9	7
	9	1	3		3	7	9	1	8	6
1	2		5	7	1	9	8	2	6	
3	5	4	2	1		5	7		7	9
	1	3		2	1			9	5	8
	2	1	3	5		1	8			
2	4	1	3		8	1	2		3	1
8	9	6		1	6	2		1	4	2
9	7		8	3	9		5	3	9	8
		3	9		3	5	1	2		
2	5	1			7	9		6	1	
1	3		7	5		3	1	4	2	5
	2	1	6	8	9	7	5		3	1
6	1	3	8	9	7		2	3	4	
9	4		9	7			3	1	6	

MEDIUM 176

1	5			9	7	8			2	9
2	3	1		8	9	6		3	1	2
	9	7	8	6		5	8	9	7	
		5	9			1	8			
5	9	8		7	9	8		1	2	4
9	8		8	1	5	7	2		3	1
6	7	4	9	8		9	3	8	1	2
	1	3				7	9			
8	9	2	7	1		2	1	6	4	3
9	7		5	9	8	4	6		1	2
6	8	9		7	9	1		2	5	1
	2	9				1	5			
3	1	2	6		5	2	3	1		
8	9	7		9	7	8		9	7	8
1	8			8	9	6			5	9

MEDIUM 177

	3	1		2	4			9	8	
3	5	1	2		3	1		8	4	2
1	2			7	1	2		9	8	6
	9	7		9	7		4	6	3	1
		6	9	8		9	2		7	9
1	2	8	7	4		2	1	8		
6	8	9		1	3		5	9	8	
3	1			2	1	6			7	9
	7	3	9		2	4		9	6	8
		1	5	2		9	3	7	1	2
2	1		7	1		5	1	8		
9	7	4	8		9	7		5	1	
8	9	2		1	4	8			3	1
4	2	1		4	8		8	7	9	2
1	3			2	7		4	9		

MEDIUM 178

4	2	1	3		7	1			6	2
2	1	3	5		8	3	9		8	1
1	3		1	3	9		7	3	9	8
3	5	1		1	3	2		1	3	
	3	8			9	8	2	7	1	
3	1		9	8		3	1		5	2
1	2		7	9	8		2	3		
2	4	1		3	1	2		1	2	4
	3	2		2	9	8		1	2	
9	5		1	3		8	1		3	1
2	1	8	7	9			2	3		
	8	9		2	7	1		1	5	3
1	2	6	3		8	3	1		3	1
8	4		1	3	9		3	1	2	4
2	3			1	3		5	3	1	2

MEDIUM 179

8	4	3	9	7			5	3	2	1
4	2	1	5	3		7	6	1	4	2
3	1		2	1	3	9	8		1	3
9	5	8		2	1		9	8		
7	3	4				7	9	8	6	
		9	8		1	2		4	2	1
8	6		2	1	3	7		7	9	
9	7		9	7		1	2		6	8
	9	7		8	9	3	7		7	9
7	3	1		9	7		9	6		
9	8	6	7				9	3	7	
		2	9		9	8		8	1	5
9	7		5	6	7	9	8		7	9
6	8	9	1	3		3	1	7	2	6
8	9	7	6			7	5	9	6	8

MEDIUM 180

		7	9			9	8	2	1	4
4	6	9	8	1		7	6	1	3	2
2	1	4	6	3	5		9	4	2	
1	3	2			1	2		3	5	
7	9		3	9		7	9		7	9
	9	5	8	7		7	9	4	8	
2	3	7	1		9	2	6	8		
6	1			2	6	1			5	9
	2	4	1	8		9	2	8	7	
2	6	1	3		4	2	6	1		
1	3		1	2		1	8		1	3
	5	7		3	1			8	7	9
	8	6	1		3	9	2	1	4	6
6	7	9	4	8		7	4	6	9	8
1	9	8	2	6			1	3		

MEDIUM 181

		2	4	1		5	1	7		
9	8	6	7	3		9	3	8	2	1
7	3	1					6	1	3	
	9	7		2	1	8		9	8	
6	5			3	5	9			3	6
9	7		3	1		1	5		7	9
8	4	9	7	5		6	9	7	4	8
		7	1			8	9			
6	5	8	9	7		5	6	8	4	9
8	4		8	9		9	7		2	6
9	7			5	7	8			3	8
	9	7		8	9	6		9	7	
9	8	6					8	6	9	
7	3	1	2	4		4	2	3	1	7
		2	9	8		8	1	2		

MEDIUM 182

	2	1		9	7	8		9	8	
8	9	3		8	9	6		7	2	1
1	8		1	3		7	9		1	3
	3	1	4	2		3	8	9	7	
		3	2	6		9	6	8		
	1	2		1	3	4		7	9	
1	6	4		4	1	2		5	1	2
2	8								3	1
8	9	5		2	1	4		6	2	4
	7	2		1	3	2		8	4	
		1	2	4		8	6	9		
	4	3	5	9		5	1	7	3	
9	8		1	3		9	7		1	7
7	2	1		7	5	1		3	7	9
	1	3		8	9	7		1	2	

MEDIUM 183

4	3	2	1	8		3	1		1	7
8	1	4	2	9		1	2	3	7	9
	1	3	6	9	2		1	2		
2	1	3	5		8	4			9	7
8	6	9		1	2		7	8	9	
1	3			3	5	1	2	4		
	2	1	4		1	2	3		5	1
7	4	3	8			1	7	6	3	
9	5		9	8	6		6	9	8	
		6	7	9	2	8		7	9	
9	7	8		2	4		5	7	9	8
8	9			6	8	4	7	9		
1	2	7	9	8		2	9	8	7	6
3	1		7	9		1	8	6	9	2

MEDIUM 184

9	4	3		9	7			9	7	
8	2	1	9	6	3			8	9	
3	7	1		4	2	1		7	2	
1	5			3	1		8	9	6	4
	2	1		3	7	2		1	2	
9	7	3	5	8		9	7		3	1
6	8	1		7	9		1	4		
8	9	6		1	2	4		1	8	6
	4	7		7	9		6	9	8	
2	1		9	7		8	5	3	7	9
1	3		5	9	8		1	2		
4	6	9	8		1	3			3	1
	2	7		1	2	4		7	1	2
7	9			3	7	9	1	8	2	
9	8			7	9		3	9	4	

ANSWERS - MEDIUM

```
7 2 . 1 3 . 7 9 . 3 8
8 3 1 2 4 . 6 8 9 2 7
4 1 2 . 1 7 9 . 8 6 9
9 7 . 6 2 9 8 4 . 1 3
. . 2 7 . . 3 8 . .
. 4 6 9 8 . 2 1 4 6
6 2 1 . 5 6 1 . 9 8 4
9 8 . . 9 8 6 . . 3 1
8 1 2 . 7 9 8 . 8 9 2
. 3 9 8 6 . 3 1 2 7
. . 8 1 . . 7 9 . .
3 5 . 3 1 7 9 2 . 5 1
2 1 3 . 6 9 8 . 1 3 2
4 2 1 5 3 . 6 8 3 9 7
1 3 . 1 2 . 7 9 . 8 9
```

```
. 9 8 7 . . 5 3 . 9 7
4 8 1 2 9 . 1 2 9 6 8
2 6 3 1 7 . 3 1 7 8 9
. . 9 5 . 1 2 4 . .
. 8 7 . 2 3 . . 4 2 1
1 3 . 9 4 . . 2 5 1 3
5 9 3 7 8 6 . 1 3 .
2 4 1 . 1 2 9 . 1 4 2
. 2 1 . 1 6 7 2 9 8
2 1 5 3 . . 8 9 . 7 9
1 3 9 . . 9 7 . 7 8 .
. . 4 2 1 . 1 5 . .
9 8 7 1 3 . 1 9 8 2 6
8 6 9 2 1 . 3 7 9 4 8
7 9 . 3 5 . . 2 3 1 .
```

```
5 9 3 8 . . 9 8 2 7
1 4 2 3 5 . 6 5 7 1 2
. 3 1 . 6 9 8 . 9 8 .
3 1 . 6 2 7 9 8 . 3 1
1 2 5 3 . . 3 1 4 2
. . 8 9 6 . 7 9 5 .
8 6 9 . 5 6 1 . 9 8 6
9 8 . . 7 9 8 . . 9 8
7 9 8 . 9 8 6 . 8 7 9
. . 4 1 8 . 5 9 4 .
3 8 9 7 . . 3 1 2 7
1 7 . 2 9 1 3 8 . 3 9
. 3 1 . 3 2 1 . 9 7 .
3 6 2 1 4 . 4 2 7 1 5
8 9 3 5 . . 7 8 5 9
```

```
1 8 . 8 9 . . 7 9 8 5
8 9 3 6 7 . 5 2 7 9 1
. 3 1 . 5 3 7 1 . 6 2
1 2 . . 2 1 . . 1 4 3
3 5 2 4 1 . 3 1 2 .
. . 1 9 3 4 2 5 . 4 2
7 9 4 8 . 3 1 . . 3 5
5 7 . 7 9 8 4 6 . 2 1
8 6 . . 7 9 . 2 6 1 3
9 8 . 3 8 6 7 1 9 .
. . 7 1 5 . 9 3 8 6 7
5 7 9 . . 9 8 . . 8 9
7 9 . 8 9 7 5 . 7 9 .
8 6 9 1 7 . 6 7 9 5 8
9 8 7 5 . . 2 9 . 7 9
```

```
6 8 9 . 9 7 . . 7 9 3
1 9 7 8 6 2 . 9 3 7 1
2 6 . 9 7 . 9 8 1 6 .
. 7 9 . 5 7 8 . 4 8 3
9 4 8 . 8 9 . . 2 4 1
8 1 . 1 4 . 8 1 5 .
. . 1 2 . 7 9 8 . 2 1
2 1 4 . 2 1 3 . 2 1 3
1 3 . 8 9 2 . 2 1 .
. . 6 1 8 . 4 1 . 9 3
2 5 9 . . 9 7 . 2 4 1
1 3 7 . 9 8 6 . 1 3 .
. 1 3 7 2 . 5 9 . 1 3
3 4 8 9 . 5 8 7 3 6 9
1 2 4 . . 7 9 . 1 2 4
```

```
7 5 . 9 8 . 3 1 . 8 5
6 8 9 5 7 . 4 2 1 9 3
8 9 7 . 3 1 2 . 2 3 1
9 7 . 4 9 3 1 2 . 1 2
. . 8 1 . . 6 4 . .
. 4 9 8 7 . 3 1 2 4
7 1 2 . 1 6 5 . 1 6 2
9 7 . . 6 8 9 . . 3 1
8 3 9 . 8 9 7 . 8 9 4
. 2 7 1 3 . 4 2 1 8 .
. . 8 3 . . 9 2 . .
8 3 . 4 8 1 2 7 . 9 5
9 6 8 . 9 3 1 . 9 8 7
7 2 9 8 6 . 4 2 7 3 1
3 1 . 9 7 . 3 1 . 1 2
```

MEDIUM 191

2	1	3	5			2	1		2	6
4	2	1	8			4	3	2	1	8
1	3		3	5	9	1		8	6	9
3	5		1	2	4			1	3	
6	4	3		1	3				5	9
	6	1	3		6	9	8	4	7	
7	1	9	8		8	3	7	9		
9	2	8		2	5	1		7	1	2
	7	2	1	3		2	5	3	1	
2	4	5	1	3		4	3	1		
1	3			3	1		6	5	3	
	1	3		4	2	1		4	6	
1	2	4		8	9	6	3		3	1
7	8	9	6	4			9	1	2	4
5	9		8	9			5	3	1	2

MEDIUM 192

5	9		3	1		9	7		3	1
8	7	3	9	5		3	1	7	4	2
	1	4	2		8	6	9			
	2	4					6	8		
1	5			4	1	2			5	9
2	1		2	9	3	1	8		9	8
3	4	6	1	2		8	9	4	6	7
	9	7				3	1			
2	1	8	3	9		1	6	2	9	8
4	8		5	1	3	2	4		5	6
1	3			2	1	4			7	9
	2	3						2	8	
	1	4	2		2	4	1			
4	7	6	9	8		7	9	3	6	8
8	9		7	9		1	3		7	9

MEDIUM 193

2	4		7	9		2	1		5	9
1	3		2	8	1	3	5		4	7
	2	1		4	2	1		1	3	
9	5	3	2	1		4	6	2	1	3
7	1		1	3		7	9		2	1
		3	4	2	1	5	8	6		
3	1	7		5	3	9		9	4	2
2	4	9						7	1	3
1	2	4		4	1	2		4	2	1
		6	2	1	3	5	4	8		
1	2		1	3		3	1		3	9
5	3	1	4	2		6	2	3	1	4
	1	2		6	8	9		1	2	
9	5		8	5	9	7	1		5	9
7	4		7	9		8	3		4	7

MEDIUM 194

9	8	2		9	4	2	5			
7	9	4		8	2	1	3		8	1
2	4	1		6	1	3		3	9	8
3	1			3	5		1	2		
1	2		8	9		4	1		1	6
	5	8	9	7	6		5	1	3	2
8	3	9			5	1	3	2		
9	7			8	9	2			2	7
		9	7	1	8			7	6	9
7	9	8	5		4	8	7	9	5	
9	8		9	7		4	9		7	9
	2	1		1	5				9	8
9	7	3		9	7	4		8	1	2
8	1		7	8	9	2		6	3	1
		9	6	8	1		9	8	6	

MEDIUM 195

8	9	7		1	2	4		3	2	1
6	4	9		3	1	2		1	4	2
9	7		7	6	4	9	8		5	3
7	5		9	2		1	3		9	5
	1	3		9	5	8		1	3	
3	2	1		8	9	7		2	1	7
9	8	6	7	4		5	7	8	6	9
		9	8			1	3			
7	8	5	9	6		7	5	9	8	6
9	6	8		8	5	9		5	3	2
	9	7		7	9	8		7	9	
5	7		3	1		2	1		6	5
3	1		8	9	4	5	7		1	3
2	4	1		2	1	3		3	2	1
1	2	3		4	2	1		1	4	2

MEDIUM 196

	7	9		8	9			1	2	8
9	8	6	4	5	7	3		3	1	6
7	9	8	5			2	1		8	9
		2	1	4		2	1	3		
9	2	4	1	3	5	6		2	4	1
8	1	2	3		1	3			9	7
6	3	1		1	2		9	4	7	3
		3	7	9		9	8	6		
7	1	5	9		2	1		3	6	1
9	5			3	1		3	1	8	2
8	7	9		6	5	3	1	2	9	4
	6	8	9		4	1	2			
1	3		8	9			5	1	2	3
4	9	3		6	5	3	9	2	4	1
2	8	1			2	1		3	1	

ANSWERS - MEDIUM

MEDIUM 197

1	2		3	4	9				7	9
7	9	4	1	2	5			9	6	8
9	8	2		1	3	2		3	1	2
2	4	1			1	6	3	2		
3	1		1	3			5	1	2	3
		6	2	1	8	9		4	8	9
1	3	2			2	8	1	5		
2	1		2	4	1	6	3		1	3
		6	1	2	7			3	2	1
5	9	8		1	3	5	2	4		
9	8	7	1			3	1		7	9
		5	2	1	3			7	9	4
2	1	4		2	1	7		9	8	6
8	6	9			4	9	3	8	6	1
1	3				2	8	1		4	2

MEDIUM 198

	9	2		3	1	2		3	8	
2	4	1		1	2	4		1	4	2
1	3		3	2		1	3		3	1
	2	7	1			1	7	2		
	5	9		5	8	6		9	7	
9	7	8		7	9	8		8	9	6
7	1	6	9	8		4	3	5	1	2
		7	9		1	2				
1	9	3	4	2		5	1	4	9	3
2	3	1		6	1	3		2	3	1
	1	2		4	3	2		1	5	
	8	5	9			9	3	8		
9	7		8	2		1	3		7	9
8	6	9		3	1	2		9	6	8
	2	7		1	2	4		7	1	

MEDIUM 199

3	1		8	9		9	7		6	8
6	2	7	1	3		6	2	7	1	3
8	6	9	5	7		8	6	9	5	7
9	7		8	9	7			8	9	
		1	2	6	8	5	9	7		
	8	3	9			5	9	8		
6	5		8	2	9	4	7		7	4
8	9		3	6	1			3	1	
9	7		9	1	8	2	3		1	2
	2	1	8			1	9	2		
	3	4	6	8	9	5	7			
3	1		8	9	7			6	8	
6	2	7	1	3		6	2	7	1	3
8	6	9	5	7		8	6	9	5	7
9	7		8	9		1	3		8	9

MEDIUM 200

	8	2		9	6	8		4	9	7
6	3	1		5	2	7	3	1	8	9
8	9		3	8		9	1	2	6	8
9	7		1	7	2		9	7		
	6	5		3	5	8	9	6	7	
	7	9	1		9	7		5	9	
3	4	9	8	7	2			7	9	
1	2	8		9	6	1		9	8	7
	1	3			9	3	7	4	2	1
1	3		5	9		6	9	8		
5	6	9	8	7	3			6	4	
	7	9		4	2	1		3	1	
9	8	1	3	7		1	3		1	2
8	6	2	1	9	7	4		1	5	4
7	9	4		8	9	6		3	2	

MEDIUM 201

9	8		7	9		3	1	2	5	
5	7	9	4	8		8	3	7	9	
	2	7	1	4	3		1	7	5	
	9	8	6		6	5	7	4	8	9
		3	9		1	2	3			
6	1	8	2	7	4		5	4	2	
8	6	9		7	9	8		7	9	
9	4	7	6	8		7	9	8	6	1
4	2		4	9	8		9	8	6	
7	9	8		6	3	8	7	9	4	
		3	1	2		1	7			
6	8	9	7	5	4		4	2	1	
2	7	1		7	6	9	3	8		
	9	7	3	8		2	6	1	3	5
	5	2	1	3		1	3		2	1

MEDIUM 202

5	8		2	3	1		1	7	3	2
3	7	1	4	5	2		2	9	1	4
1	4	2			9	4	8			
2	9	4	1		1	7			8	1
			8	1	2		1	3	9	2
	3	9	8			2	1	4		
6	8	1	2		8	9			1	2
9	7		4	1	3	7	2		3	1
8	9			2	9		3	1	2	4
	4	1	2			9	8	3		
2	6	3	1		8	7	9			
3	1			7	9		7	6	1	8
	2	6	1			8	6	9		
1	9	3	8		5	6	8	9	3	7
2	7	1	9		7	8	9		2	5

352

MEDIUM 203

	7	9			7	9		6	1	8
9	1	3	8		6	8	1	9	3	7
5	2	1	7	4			3	8	6	9
	4	6	9	8	2	1			2	5
1	3			9	4	3	1	2	5	
2	5	1		3	1		3	1		
		3	2			8	9	3	2	1
1	3		1	8		1	2		1	3
2	1	8	4	9			4	8		
	9	7		1	3		9	4	8	
	5	6	3	1	2	4			7	9
5	2			2	8	9	1	7	3	
7	3	9	1			7	2	4	1	3
9	6	8	3	5	7		4	9	2	1
8	1	6			8	9			8	5

MEDIUM 204

6	1	3		8	9	6		1	5	2
8	2	1		9	7	8		3	9	4
9	7		3	7		9	8		3	1
	4	2	1	5		7	9	3	8	
	3	1		1	3	5		1	7	
7	9			2	1	4			4	9
6	8	7	9	4		3	7	9	6	8
		9	8				9	8		
9	5	8	6	4		3	8	6	9	7
8	1			8	9	6			8	9
	7	9		9	7	8		7	2	
	6	8	9	7		7	8	9	3	
1	2		8	5		9	4		7	9
4	9	7		1	3	5		9	5	8
2	8	9		2	1	4		7	1	6

MEDIUM 205

	5	7		1	3		9	1	2	4
3	9	8	7	2	6		7	3	1	2
1	8	6	9		2	1			3	1
	7	9		2	1	3		2	5	3
			2	1			2	1		
1	2	8	3		1	6	3	5	8	9
3	1	6			2	8	1		7	5
	7	9		1	6	9		1	3	
1	3		7	4	9			4	9	3
5	4	7	9	2	8		3	2	5	1
		9	8			3	1			
7	5	8		9	7	8		5	7	
6	8			8	9		3	9	8	7
8	9	3	1		5	7	1	8	6	9
9	7	1	2		8	9		7	9	

MEDIUM 206

1	2		7	9	3	4	8		1	2
3	1		3	5	1	2	4		3	1
	4	3	1	2		1	9	8	2	
	1	2					7	9		
1	2		4	8	9	5	6		1	2
3	1			7	8	9			3	1
2	4	1	3	5		3	6	1	2	4
	2	1	4		2	8	4			
3	1	4	2	9		1	9	2	4	3
2	4			2	1	4			5	1
1	2		4	1	3	7	6		1	2
	1	2					7	9		
	4	3	1	2		1	9	8	2	
1	2		7	9	3	4	8		1	2
3	1		3	5	1	2	4		3	1

HARD 207

3	5		1	2			4	8	
4	2	1	3	6	5		7	9	
2	1	3	5		8	7	9		
1	3		7	9		1	6	7	
	7	9	6	8		6	8	9	
		7	2	6	8	9			
1	2	4		1	2	3	6		
3	4	8		3	1		5	7	
	1	3	2		7	9	8	6	
2	5		3	6	5	7	9	8	
1	3			7	9		7	9	

HARD 208

9	8		6	4		3	4	
5	7	1	4	2		1	5	3
	9	3	2	1	8		3	1
1	5		1	3	9	5	2	4
3	6		3	5		3	1	2
	9	5		4	1			
8	9	7		4	1		9	8
6	8	5	1	7	3		7	9
9	7		2	9	7	3	8	
7	5	9		6	2	1	3	4
	6	7		8	9		1	2

HARD 209

	1	3		5	8		8	5
4	2	1	8	3	9		1	2
9	7		9	7		2	3	1
	9	7		2	4	1	9	3
9	6	8	7	1	3			
7	8	9	5		7	5	8	9
			8	3	2	1	9	7
1	6	3	9	7		2	6	
2	4	1		8	9		7	9
4	9		1	2	7	3	4	8
3	1		3	1		1	2	

HARD 210

2	5	1	3		2	1	7	4
7	8	2	9		8	4	9	7
		4	8	7	9	2		
1	3		7	1	5		6	7
2	1	6	4		7	4	8	9
	7	9				1	3	
9	4	8	6		5	2	9	8
7	2		8	9	7		7	9
		1	3	5	6	2		
9	1	2	7		9	1	7	2
8	5	3	9		8	3	9	1

HARD 211

	1	8		8	9		5	3
7	6	9		5	3	1	2	4
9	8		7	9		3	1	2
	4	2	1	3	5		3	1
3	9	8	6		3	1		
1	7	9	8		1	2	3	8
		7	9		2	4	1	9
5	3		5	7	8	9	6	
2	4	1		9	4		2	1
1	2	3	4	6		1	4	3
3	1		9	8		2	9	

HARD 212

6	1	3		1	2		6	8
9	4	2	1	3	5		8	9
8	2	1	3		8	6	9	7
		4	2		9	8	7	
3	1	5		8	7	9		
1	2		9	3	1		3	1
		9	7	1		5	1	2
	7	6	1		2	4		
7	9	8	6		3	1	2	8
8	6		5	3	1	2	4	9
9	8		2	1		3	1	6

HARD 213

	9	7		9	1	8	3	
4	2	1		5	2	7	1	4
9	4	3	8		4	9	6	8
3	1		7	9			4	9
		9	5	8	6		9	7
4	8	7	9		3	1	2	6
3	1		3	1	7	2		
1	6			3	9		9	7
2	4	6	1		5	4	8	3
6	9	8	3	5		2	4	1
	7	9	2	1		1	3	

HARD 214

1	2		3	4	9		1	2
3	8	9	1	2	4		3	1
	9	7		1	3	4	2	
7	1	2	4		8	9	6	7
9	3	1	2	4			5	9
		3	5	7	6	1		
1	5			9	8	5	1	6
3	4	2	1		9	7	3	8
	2	5	3	1		9	7	
1	3		8	4	3	6	2	1
2	1		4	2	1		4	3

HARD 215

8	3	9	7		7	9	1	2
3	1	6	2		9	8	3	1
		8	9	7	5	6		
			8	9	6			
1	6	8	5		4	1	6	8
4	9	7				4	9	7
2	8	9	7		6	2	8	9
			2	4	1			
		3	9	8	7	2		
9	7	2	1		3	1	5	2
8	9	1	3		9	3	8	1

HARD 216

9	8	2		8	1		1	5
7	9	1	6	4	3		6	8
3	1		8	9		6	8	9
2	4	1			8	9	7	
1	2	3	5	9		9	7	
		2	1	8	9	7		
	7	9		5	3	1	4	2
7	9	8			3	2	1	
9	8	6		2	1		1	3
8	6		2	5	3	1	8	9
5	1		3	1		3	9	7

HARD 217

```
8 9 2 1 6 . . 9 7 .
9 7 4 3 8 . 8 9 6 .
3 2 1 . 7 9 3 1 2 .
5 1 . . 9 8 . 3 1 .
. 3 1 . 4 6 1 . . .
. 4 8 5 . 4 2 6 . .
. 9 7 5 . 9 7 . . .
3 1 . 9 8 . . 9 5 .
7 3 9 8 6 . 9 8 7 .
9 8 6 . 7 2 6 3 1 .
. 9 8 . 9 4 8 1 2 .
```

HARD 218

```
3 9 6 8 . 4 2 7 1
1 7 4 9 . 6 1 9 3
. . 1 6 3 9 7 . .
. . 2 4 1 8 5 . .
4 2 3 7 . 7 3 2 4
1 3 . . . . . 1 2
2 1 3 7 . 4 2 3 1
. . 2 4 1 8 5 . .
. . 1 6 3 9 7 . .
7 1 4 9 . 6 1 5 9
9 3 6 8 . 7 3 9 8
```

HARD 219

```
. 7 9 . . 7 9 6 8
. 6 8 9 . 5 7 8 9
1 2 6 7 9 8 . 9 7
4 8 . 2 1 4 3 7 5
2 9 . 1 3 . 1 5 .
. . 8 3 . 7 2 . .
. 8 9 . 7 9 . 5 8
3 5 7 6 9 8 . 7 9
1 3 . 2 1 3 8 4 6
2 1 3 5 . 1 4 2 .
4 2 1 3 . . 3 1 .
```

HARD 220

```
1 5 . 7 9 . . 2 4
3 8 6 2 1 9 . 1 2
. 9 8 1 3 7 . 3 1
8 7 9 4 . . 1 5 3
3 1 . 8 4 . 3 4 .
. . 3 9 2 4 5 . .
. 9 7 . 1 6 . 3 1
2 4 1 . . 3 1 6 2
5 3 . 7 3 1 2 9 .
1 2 . 9 1 2 4 8 3
3 1 . . 9 7 . 7 1
```

HARD 221

```
. 1 8 . . . 4 2 9
8 4 9 1 . 9 1 3 7
9 7 . 3 8 7 2 1 4
. 9 7 . 9 8 . 5 8
9 8 6 . 2 6 9 . .
7 6 2 9 . 1 6 8 9
. 1 4 8 . 2 6 7 .
5 2 . 2 1 . 7 9 .
9 6 8 3 2 7 . 7 9
7 3 9 1 . 6 9 4 8
8 1 6 . . 8 1 . .
```

HARD 222

```
3 1 8 9 7 . . 1 2
1 2 6 8 9 . 4 3 1
. . 9 7 . 3 1 . .
2 1 4 . 3 1 2 4 6
1 3 2 7 4 9 . 7 5
4 2 . 1 2 4 . 9 7
3 5 . 3 1 2 7 8 9
6 4 8 9 7 . 9 6 8
. 1 2 . 3 1 . . .
1 2 4 . 3 1 2 7 9
3 1 . . 1 2 4 9 8
```

HARD 223

```
9 7 . 1 2 . . 9 7 .
1 2 4 3 6 7 . 9 7 1
8 9 7 . 8 9 4 7 . 3 9
6 8 9 7 . 3 1 . . 2 7
. . 8 9 . 1 2 . 2 4 .
1 2 6 4 9 . . 4 1 .
3 1 . 8 7 . 1 2 . 8 9
. 2 6 . 8 9 4 6 7 .
. 4 1 . 9 7 . 1 2 .
1 2 . 8 9 . 3 1 4 2
3 1 . 3 7 1 2 . 6 9 8
. 5 2 1 . 8 6 4 3 2 1
. 3 1 . . 8 9 . 1 3
```

HARD 224

```
. . 9 8 . 9 8 . .
1 6 8 7 9 . 7 9 6 8 1
3 2 6 . 5 8 6 . 2 6 3
. 7 9 . 7 9 8 . 7 9
8 1 5 6 . . 6 1 5 8
9 3 7 8 4 . 6 8 3 7 9
. 9 1 . 9 7 .
7 9 8 5 2 . 8 5 1 2 3
9 8 6 7 . . 3 2 4 1
. 7 9 . 6 9 8 . 3 1
6 1 2 . 8 7 9 . 9 8 1
4 3 1 2 5 . 6 8 7 9 3
. 7 9 . 7 9 .
```

355

ANSWERS - HARD

HARD **225**

HARD **226**

HARD **227**

HARD **228**

HARD **229**

HARD **230**

HARD **231**

HARD **232**

HARD 233

9	8		2	9		2	9		7	9
7	9	8	1	2		1	7	2	9	8
	9	7				3	1			
8	9		3	4	2	9	8		9	7
6	8	9		3	1	7		9	8	6
9	3	7	8	6		2	3	7	4	1
	9	7		1	2					
9	4	7	6	1		5	1	7	4	9
8	6	9		2	1	4		9	6	8
7	1		8	9	7	3	6		9	7
	9	7				3	1			
7	9	8	2	1		8	9	2	1	3
9	8		1	3		1	8		2	1

HARD 234

7	9	5	8		5	1		2	1	6
6	1	2	4		8	4		6	9	8
	3	1		1	3	2	5		7	9
	8	3	4	2	1		1	2	6	
9	7		8	4	9	7		1	8	2
8	6	9	7		2	1	3		3	1
	8	9				2	1			
3	5		6	9	7		1	3	8	2
1	2	7		8	6	2	7		3	1
	4	9	8		8	6	9	7	2	
1	3		6	8	9	7		6	1	
2	1	4		2	5		1	9	7	2
4	9	8		1	3		3	8	9	1

HARD 235

2	1			2	4	1			2	1
1	3		9	7	8	3	1		1	3
	2	7	6	1		9	3	5	4	
	9	8	3	7	5	2	1			
1	3			6	9	8			4	9
2	7	1	3	4		7	6	8	1	2
	4	2	1			8	9	6		
1	9	4	2	5		8	9	7	3	5
3	8			3	1	2			2	1
	9	8	4	5	7	3	1			
	2	7	6	1		9	7	3	4	
2	1		9	7	8	6	1		2	1
1	3			2	4	1			1	3

HARD 236

8	1	2			7	9		9	6	8
4	2	3	1		9	8		7	8	9
	4	2	6	3	1			9	7	
9	8	6		9	2	4	1		1	5
7	9	8		8	1	2	3	5	4	
5	3	1	8	4			2	1		
8	6		9	7		7	9		1	3
	9	7			4	5	1	3	6	
5	3	1	2	4	9		8	7	9	
5	9		3	1	2	8		6	9	8
3	1			3	1	6	2	4		
1	2	3		9	8		1	3	4	2
2	4	1		7	9			2	8	1

HARD 237

	8	9	5		4	2	1			
	7	8	9		2	1	3			
7	8	9		8	9	3		6	8	9
1	4	2		7	5	1		2	1	3
5	9		4	2		9	1		9	7
2	7	9	8	6		5	7	9	6	8
	7	9				3	1			
2	7	1	3	4		7	9	5	6	8
5	9		1	2		9	8		9	7
7	8	9		3	1	6		6	8	9
1	4	2		1	2	8		2	1	3
	8	9	5		4	2	1			
	7	8	9		2	1	3			

HARD 238

1	9	7	3	8		2	7	1	3	9
2	4	3	1	6		4	9	6	7	8
	5	1		9	8	6		5	9	
	1	2		7	9	8		9	8	
7	2		9	1		9	7		6	3
9	3	8	7	5		7	2	3	5	1
	9	5				5	1			
7	2	3	1	5		5	1	2	6	3
9	3		3	4		9	3		5	1
	1	2		9	8	6		9	8	
	5	1		7	9	8		5	9	
1	9	7	3	8		2	7	1	3	9
2	4	3	1	6		4	9	6	7	8

HARD 239

3	5		9	8		8	9		3	5
2	1	3	4	6		6	4	3	2	1
4	2	1		5	3	2		1	4	2
1	3			2	1	4			1	3
	4	9	1		1	4	9			
	9	6	8	3		3	6	8	9	
	6	1	3			1	3	6		
	8	2	1	4		4	2	1	8	
	9	7	8		8	9	7			
3	5			7	1	9			3	5
2	1	3		9	8	6		3	2	1
4	2	1	3	6		3	5	1	4	2
1	3		1	5		7	9		1	3

HARD 240

5	9		4	8		1	3		8	1
7	8	3	1	9		4	2	1	9	3
	3	1	2	4		2	1	3	5	
3	1			5	7	3			6	8
1	2		5	7	9	6	8		7	9
	5	4	2	1		7	9	6	4	
	9	8				7	9			
3	7	9	5		6	2	8	7		
8	6		7	4	3	8	1		4	2
9	7		2	1	4			3	1	
	4	3	2	1		7	9	8	5	
2	9	1	4	6		1	7	9	2	3
1	8		1	3		9	8		1	5

HARD **241**

HARD **242**

HARD **243**

HARD **244**

HARD **245**

HARD **246**

HARD **247**

HARD **248**

HARD **249**

HARD **250**

HARD **251**

HARD **252**

HARD **253**

HARD **254**

ANSWERS - HARD

HARD 255

```
2 4 1 9 . . . 3 1 2 4
1 2 3 7 . 9 8 5 3 1 6
3 1 . . 3 7 6 1 . 5 9
5 9 8 3 1 . 9 7 . 3 1
. 5 7 1 2 . . 6 1 . .
. . 9 7 . . 5 2 3 1 .
5 1 . 5 2 4 9 . 4 2 1
3 2 1 . 1 2 4 . 9 8 7
9 8 6 . 3 1 7 2 . 9 5
. 9 7 8 5 . . 7 9 . .
. . 9 5 . . 1 3 8 9 .
5 3 . 3 1 . 2 1 7 5 3
3 1 . 1 2 4 3 . . 3 1
1 2 3 9 4 8 . 9 7 1 2
2 4 1 7 . . . 8 9 6 4
```

HARD 256

```
7 5 . 9 7 . 1 4 2 9 8
8 9 7 5 6 . 3 2 1 8 4
6 8 9 . 8 9 . 1 3 6 .
9 7 . 5 3 7 . 3 5 . .
4 6 . 8 9 . 9 7 . 4 2
. . 2 9 . 7 8 5 . 3 1
9 8 6 7 1 3 . . 3 1 .
8 2 1 . 2 1 7 . 9 7 3
. 1 3 . . 8 9 3 4 2 1
2 4 . 6 2 9 . 1 8 . .
1 3 . 3 1 . 1 2 . 3 7
. 7 5 . 1 3 5 . 1 5 .
. 4 9 7 . 6 2 . 1 2 3
7 2 8 9 6 . 6 8 3 7 9
9 1 6 8 2 . 7 9 . 9 8
```

HARD 257

```
. 2 1 . . 8 6 9 . .
1 5 3 8 2 . 9 1 7 6 8
2 1 . 7 5 . 6 2 . 7 9
3 4 7 2 1 9 . 3 2 . .
. . 9 1 3 8 7 . 1 3 .
9 7 8 4 . . 8 9 . 8 9
8 6 . 3 1 8 . 8 9 5 7
. 3 1 . 8 9 3 . 7 9 .
9 8 2 7 . 5 1 3 . 6 8
7 9 . 8 9 . . 4 8 7 9
. 5 3 . 7 8 3 1 9 . .
. . 1 2 . 9 1 2 7 4 3
3 1 . 7 9 . 5 7 . 1 2
4 2 7 1 3 . 2 8 3 5 1
. . 9 6 8 . . . 1 2 .
```

HARD 258

```
6 1 3 . 8 9 . . 5 3
8 7 9 5 . 6 4 5 3 2 1
9 2 7 1 5 4 . 3 1 4 2
. 4 8 . 9 7 . 6 9 8 .
1 5 . 7 8 . . 9 2 . .
5 9 7 8 . 3 9 8 . 1 2
2 3 1 5 . 1 3 . 2 3 1
. . 5 9 8 . 8 9 5 . .
1 2 3 . 7 9 . 5 1 3 2
3 1 . 1 2 7 . 8 7 9 5
. . 8 2 . 1 7 . 5 1 .
2 1 4 . 1 2 . 9 7 . .
8 6 9 7 . 3 4 7 1 2 9
9 8 7 5 3 6 . 9 6 4 8
7 5 . . 1 2 . 3 1 6 .
```

HARD 259

```
1 5 . 7 6 8 4 9 . 5 3
3 4 . 3 2 7 1 5 . 4 6
. 2 7 . . 9 7 . . 3 1
8 3 9 7 . 5 7 3 1 2 .
9 7 . 9 5 8 . 9 5 2 4
6 1 2 . 1 3 . 3 1 . .
. 3 1 2 6 . 8 4 7 9 .
8 9 . 5 3 9 8 6 . 9 8
9 7 4 8 . 1 5 2 3 . .
. 1 3 . 7 9 . 1 9 2 .
2 1 3 7 . 2 7 9 . 2 1
4 2 5 9 7 . . 7 9 8 4
1 3 . . 3 1 . 5 7 . .
6 4 . 1 8 2 6 9 . 6 3
3 5 . 5 9 3 8 7 . 5 1
```

HARD 260

```
1 8 . . 5 1 . . 9 7 4
8 9 3 . 2 3 1 . 8 9 6
. 6 1 8 . 9 5 3 6 8 1
8 5 . 5 3 4 2 1 . 5 2
9 7 . 9 7 . 9 7 2 . .
6 4 9 . 9 5 . . 1 2 .
. 7 8 . 2 8 1 3 4 9 .
3 1 . 4 2 1 9 3 . 1 7
5 2 4 9 1 3 . 2 3 . .
. 7 9 . . 4 2 . 1 2 6
. 1 6 2 . 1 2 . 4 9 .
8 5 . 8 1 2 3 4 . 6 8
7 3 1 9 6 8 . 3 7 1 .
9 2 4 . 3 1 2 . 9 5 8
4 1 2 . . 3 1 . . 3 9
```

360

HARD 261

```
9 7 . 9 8 . 3 1 . 1 2
6 2 7 3 1 . 2 4 1 8 9
8 6 9 7 5 . 1 2 3 9 7
3 1 . 8 6 9 5 3 . 3 1
. 3 2 . 7 8 9 . 8 7
. . 1 6 . . 5 1 . .
3 6 8 9 2 . 8 3 9 1 2
7 9 . 3 1 . 9 7 . 5 1
5 7 9 8 4 . 7 1 2 4 3
. 5 7 . . 2 9 . .
3 1 . 3 1 7 . 8 6
9 7 . 8 6 5 9 7 . 8 6
6 2 7 3 1 . 6 2 7 3 1
8 6 9 7 5 . 8 6 9 7 5
3 1 . 9 8 . 3 1 . 9 8
```

HARD 262

```
3 9 5 7 8 . 6 9 1 8 2
2 8 1 9 6 . 8 7 5 9 3
1 2 . . 9 1 5 . . 2 1
. 4 2 . 7 3 9 . 9 7
. 6 1 5 . . 7 8 6
2 1 . 8 6 . 9 8 . 3 1
1 3 2 9 4 . 3 1 6 4 2
. 1 4 2 . 8 6 9 .
2 4 3 7 1 . 4 2 8 3 1
1 3 . 6 3 . 7 9 . 1 2
. 5 3 1 . . 5 8 6
. 2 1 . 3 1 7 . 9 4
9 7 . . 1 2 9 . . 2 1
7 1 5 3 2 . 6 9 1 8 2
8 6 9 1 4 . 8 7 5 9 3
```

HARD 263

```
. 1 8 . 1 3 . . 3 9 4
1 3 7 9 2 4 . 3 1 5 2
4 7 9 8 6 . 1 2 . 3 1
2 5 . . 3 9 2 . 9 7
7 9 1 3 . 7 6 9 4 8
. . 2 1 7 . . 7 1
9 7 . 6 9 3 8 . 7 8 6
8 9 . 2 5 1 3 9 . 7 9
6 8 9 . 4 2 1 7 . 9 8
. . 2 7 . . 2 8 1
. 4 8 9 5 7 . 6 2 9 5
. 3 1 . 1 9 7 . . 1 3
9 7 . 1 2 . 8 9 7 2 1
8 2 9 7 . 5 6 3 1 4 2
6 1 7 . . 1 3 . 9 7
```

HARD 264

```
1 8 9 3 7 . 8 9 . 9 8
2 6 4 1 3 . 5 2 1 7 9
. 3 1 . 4 8 9 7 3 .
. 9 7 . 8 9 7 1 . 7 5
9 7 . 8 9 . . 3 9 6 8
8 5 9 1 6 . 3 5 7 8 9
. . 7 5 . 6 9 8 . 9 7
3 5 8 . 2 1 8 . 2 4 6
6 4 . 6 1 3 . 2 1 .
4 2 1 8 3 . 4 9 6 2 7
2 1 3 5 . . 1 3 . 4 9
1 3 . 1 7 9 2 . 3 5
. 3 7 9 8 5 . 1 3
4 3 1 2 5 . 3 9 2 1 7
2 1 . 9 8 . 7 8 4 6 9
```

HARD 265

```
8 9 . 9 7 . 4 8 .
5 7 6 8 9 4 . 9 7 1 5
. 3 1 . 1 4 . 9 6 8
9 8 2 6 5 . 5 9 . 7 9
7 9 4 . 7 9 1 8 3 2
. 6 1 2 9 8 3 . 1 5 9
. 7 9 . 6 2 . . 8 7
1 3 5 8 4 . 7 6 5 9 8
4 1 . 9 7 . 9 7 .
2 7 1 . 2 1 7 8 4 9
. 5 2 7 8 6 9 . 1 6 3
7 9 . 9 5 . 6 4 2 8 1
4 2 1 . 7 9 . 1 3 .
9 8 2 7 . 7 1 2 6 8 9
. 4 9 . . 5 3 . 9 7
```

HARD 266

```
. 8 9 . 4 2 7 1 . 6 8
. 6 4 1 2 5 9 3 . 7 9
9 5 . 3 1 . . 9 8
2 1 6 . 3 4 2 1 7 5 9
. 2 8 9 5 6 1 3 . 9 7
8 4 9 7 . 1 3 . 1 3
6 3 . 1 2 . 1 3 .
9 7 . 1 3 . 1 3 . 5 1
. 2 3 . 2 3 . 4 3
3 1 . 3 1 . 7 6 1 2
7 9 . 3 1 6 5 9 8 2
9 5 7 1 2 4 3 . 9 3 1
. 8 9 . 1 3 . 6 2
8 6 . 5 9 3 2 1 4 7
9 7 . 2 7 1 4 . 8 9
```

ANSWERS - HARD

267

1	5				6	9	8		9	8
3	1	2	4		8	7	9		7	9
	3	6	7	5	9		7	1	3	6
1	2		3	1	7	4		2	8	
6	4	7	9	8		7	9		2	1
	9	8	6		2	1		1	3	
	7	4	1	2	3		2	4		
	9	8		7	9	5		2	1	
	6	9		7	9	8	6	3		
9	3		7	9		2	4	1		
7	2		2	1		1	2	3	4	6
	8	9		8	3	7	9		2	1
6	1	2	3		1	3	5	6	8	
8	9		2	1	4		7	8	9	5
9	7		1	3	2				7	9

268

	4	8			9	8		7	9	
	3	2		3	7	9	8	6	5	1
7	2	1	3	4		1	2		8	5
9	7		1	5	8	7	9		7	2
8	9	6		7	9		6	2	4	3
6	1	2	3	8			7	9		
	1	5		9	2		4	3	1	
3	1		9	2	7	1	8		1	2
1	2	3		1	3		5	9		
	9	8			6	7	8	9	4	
1	2	4	6		9	8		4	1	2
4	5		9	8	7	5	2		3	1
3	1		1	2		7	1	9	8	3
2	6	5	7	9	8	4		8	7	
	3	1		7	9			2	6	

269

		2	1			2	1		
	7	1	3	4		5	1	3	6
3	4			2	1	4		8	3
1	2	4		1	3	2		4	1
	5	7	9	8		8	9	5	7
9	1	2	4			2	3	1	8
8	3	1	2	4		3	4	1	2	9
			5	9		1	5		
7	2	4	1	3		2	1	6	8	9
9	1	6	3			6	8	9	7
	8	9	6	5		8	3	9	7
2	3	1		2	1	4		7	5	9
1	5			1	3	2		6	7
	4	2	1	3		5	2	1	3
		1	3			1	3		

270

7	6		6	3				3	1
9	8		5	1		3	1	9	4	2
	4	1	2		7	1	2	8	
7	9	6	8		9	2	4		2	9
5	7	8	9	3		5	3	2	1	4
		9	7	1	3	4		4	7
9	5	7		2	1			1	3
7	4			4	6	2		4	7
	7	4			9	4		7	5	9
	1	2		6	8	1	7	9	
5	3	1	7	2		3	9	8	7	2
1	2		5	1	2		8	6	9	1
	1	8	9	6		2	1	4	
6	8	3	9	7		9	5		6	7
7	9				7	6		8	9

271

9	8	7	3			6	2		8	9
8	6	9	1	7		8	3	9	6	7
7	9			8	6	9	1	7	
		5	9	1	2	4			1	3
2	3	1	5		1	3		3	2	1
5	9	7	8			5	7	2	
1	5		7	1	8		9	6	4
	7	9		8	9	2		1	2
	8	5	9		5	1	3		7	9
		8	7	6			2	5	1	7
1	3	7		2	6		1	9	3	8
2	1			1	9	7	4	8	
		1	4	3	8	9			9	7
6	3	2	1	7		5	3	9	6	8
2	1			2	9		1	7	8	9

272

	7	9	8		7	3		1	3	
4	1	7	3	2	9	5		2	1	
9	2		9	7		1	3		4	6
	5	8	7		3	7	9		7	5
7	3	9		7	1	2	4	9	6	8
9	8		1	3			5	7	8	9
	4	2	1	6	3	8		9	7
	5	1		8	9	6		1	5
4	6		9	2	8	1	3	5	
1	2	3	5			2	1		2	9
2	4	1	6	8	9	5		7	1	2
3	1		1	3	7		8	9	6
5	3		7	9		2	1		8	1
	7	9		6	2	5	7	3	9	8
	9	8		7	9		2	1	4	

HARD **273**

9	7			9	5			1	2	4	
3	1	9	8	7	2		3	1	2	4	
1	2	3	5		8	9	6		3	1	
	4	8			1	3		7	1	2	
7	9		3	1		7	2	9	8		
9	8		9	2	8		1	3			
	3	1		2	1	4	8	7	9		
8	9	6		9	6	3		6	9	8	
9	7	4	8	2	1		9	5			
	7	9		3	7	1		3	1		
	2	1	6	3		9	7		1	2	
8	9	2		8	9			2	6		
9	7		6	1	3		7	6	8	9	
6	8	7	9		8	3	2	1	9	7	
	6	9	8			5	1		2	1	

HARD **274**

1	2		2	1	4		2	1	3	
6	4	5	1	3	2		1	3	9	2
	7	9		1	2			8	4	
2	1	4			3	1		2	7	1
4	3	1	8	2	5		3	1		
	6	9	8			8	9	5	6	
	5	3	6	1	2	4	7		7	9
3	1	2		4	6	9		5	9	8
1	2		6	3	1	5	9	7	8	
9	3	8	7			6	8	9		
	3	1		5	1	4	6	2	3	
4	1	2		1	2			8	6	1
1	3		3	1		3	1			
2	5	1	3		3	1	8	2	9	7
	4	2	1		7	3	9		8	9

HARD **275**

	7	9		9	2			8	5	9
9	3	8	1	7	6	5		7	9	8
3	1	5	2		3	1	2	9		
1	2			9	7		1	5	3	
2	6	1		5	8	9	3		2	1
	7	9		9	7	5	2	8	6	
8	9		8	3	5		1	4	2	
2	4	8	3	1		8	6	4	9	7
6	8	9		7	9	4		1	3	
1	3	6	4	2	5		9	7		
9	7		2	1	3	5		9	5	8
	6	9	3		1	2		2	1	
	5	1	7	9		2	5	1	3	
5	9	8		2	6	7	1	8	3	9
9	8	7		8	9		9	7		

VERY HARD **276**

	4	2	1		3	1		
6	9	3	8		4	2	3	1
2	5	1	3	4		1	2	
1	3		5	9	7	8	6	
3	8	4			9	5		
	5	1		8	9			
	1	2			6	2	7	
	4	2	3	8	1		7	9
3	1		9	2	7	1	4	
1	2	5	3		7	9	5	8
	2	1		9	8	6		

VERY HARD **277**

	6	8	9		8	6		
8	5	9	7		8	9	7	2
4	1	7	2	8	9		9	7
9	7		4	9	7	1	8	3
7	2		1	3		2	4	1
		2	3		6	4		
4	2	1		9	7		8	3
2	1	7	8	6	9		3	1
1	3		9	8	3	1	5	2
3	5	1	2		8	3	9	6
	4	3			1	2	4	

VERY HARD **278**

1	6	3		5	1			1	6	2
2	8	1	9	7	3		8	3	9	4
7	9		8	9		6	9		3	1
	1	2		8	9	7		9	7	
9	2	8		6	8	9	7	5	4	1
7	4	9	8		6	8	9		8	3
		7	5	3	1	2	4	9		
2	9		9	8	3		8	7	9	3
1	6	8	7	9	5	3		2	4	1
	7	9		6	2	1		1	3	
9	8		1	7		2	1		7	9
8	2	1	3		2	5	3	7	1	6
6	1	3		1	7		9	5	8	

VERY HARD 279

	9	7			7	9			7	2	1
1	6	4			4	2	1		9	4	3
7	8	9			9	8	6		3	1	
		6	7	8		7	3	1			
	7	8	9		5	9	4	2	1		
7	9	5		1	3		8	4	3	9	
2	6		3	2	6	1	9		5	8	
6	8	9	7		2	3		4	2	6	
	4	1	2	9	8		9	8	6		
		3	1	7		8	7	6			
	9	7		6	8	9		9	8	6	
7	8	4		1	2	4		1	6	2	
9	6	8			9	7		7	9		

VERY HARD 280

8	1	2	3			7	8	9	2
9	2	4	5	8		7	9	6	8	1
6	3	1		9	4	6		9	7	4
	5	3		2	1	3		7	5	
9	7			4	2	1			3	1
8	4	9	6	7		5	1	4	6	2
		6	8				9	2		
8	5	7	9	6		4	3	1	5	2
9	7			9	4	6			3	1
	3	5		2	1	3		5	7	
6	1	3		4	2	1		7	9	4
8	2	1	3	5		5	7	9	8	2
9	4	2	1			9	8	6	1

VERY HARD 281

3	2		1	2		3	7		3	5
1	6	2	3	4		8	9	7	2	1
	3	1		5	7	4		9	8	
6	1			8	9	6			1	6
9	7		8	3		9	2		7	9
8	9	2	7	1		2	1	7	9	8
		1	3				7	9		
2	1	3	9	8		9	3	8	1	2
4	5		6	1		8	5		5	4
1	3			6	8	1			3	1
	7	9		7	9	3		9	7	
9	2	8	1	3		4	3	7	2	1
8	4		2	9		2	1		9	3

VERY HARD 282

	4	1	7	9		9	8	7	5
	6	3	9	8		8	6	9	7	
6	8			2	3	5			6	8
7	5			4	1	2			8	9
9	7		2	3		1	2		9	7
8	9	4	5	1		3	1	2	4	5
		2	1				3	1		
5	4	1	3	2		8	9	4	7	6
8	6		9	7		1	4		4	8
7	9			1	6	3			8	9
9	8			3	4	2			9	7
	5	7	9	4		7	1	9	5	
	7	9	8	6		9	3	8	6	

VERY HARD 283

	6	8	9		1	5			7	9
4	1	7	2		2	3	1		9	8
8	5	9	7	3		1	2	4	3	6
9	7		5	1		9	4	8		
7	2	3		1	2		9	1		
		2	1	9	3			2	1	
2	4	1	3	7		2	1	9	4	3
1	3			2	1	3	7			
	1	3		2	1		6	8	3	
	4	2	1		9	4		3	1	
6	7	8	4	9		7	8	3	9	6
5	9		1	3	2		3	1	5	2
9	8			5	1		1	2	4	

VERY HARD 284

	9	7		4	9	2			9	7
7	8	9		3	7	1		8	9	7
9	6	8	7	5		7	1	6	8	9
			9	1	3	5	2			
4	2		2	9	8		2	6		
9	4	7	6		6	9	4	7		
8	6	9			8	6	9			
6	1	8	7		5	6	1	8		
7	9		1	7	3		3	4		
		1	5	9	4	7				
7	1	6	2	3		8	9	6	1	7
9	6	8		4	9	7		8	6	9
	7	9		2	8	9		9	7	

VERY HARD 285

9	5	8		9	4	3		3	1
7	1	6		7	2	1		5	2	1
	7	9	2	3	1		8	9	4	3
9	3		1	5		4	1	8		
7	2	1	3		3	1		7	8	
	8	9	7	6	5	2			7	9
7	9		1	3		3	1		9	8
9	8		8	9	7	2	4	5		
	7	3		8	9		3	1	6	2
	2	9	6		5	9		3	1	
7	4	1	2		9	7	8	6	1	
9	8	6		7	6	1		9	4	7
	9	7		9	8	2		8	2	9

VERY HARD 286

9	8	7	1			8	7	9	3	5
8	6	9	3		7	4	3	5	2	1
7	9			1	9	5		3	1	
5	1	2	7	3		9	8	2		
	3	1	9			7	9	4	8	
		4	8	7	9		7	1	3	
4	1		2	1	3	8	5		6	8
2	4			2	1	3			9	6
1	3		3	4	5	9	7		7	9
	7	3	9		2	6	1	7		
	2	1	6	3			2	8	9	
	2	8	1		8	4	9	7	5	
	9	7		6	1	9			1	3
1	6	9	7	2	3		9	1	4	2
7	8	6	9	4			7	3	2	1

VERY HARD 287

	1	3	7	9		9	1	6	8	
3	2	1	4	7		7	6	8	9	3
1	4	2	9				3	9	7	1
			3	4	6	1	2			
2	4			7	9	8			2	4
1	2			9	8	6			1	2
3	1	4	2	6		5	4	2	3	1
	1	3					1	3		
5	3	2	1	4		8	2	1	5	3
4	2			8	9	7			4	2
2	1			6	8	9			2	1
			3	1	6	4	2			
9	1	3	7			1	6	8	9	
7	2	1	4	3		3	6	8	9	7
	4	2	9	1		1	3	9	7	

VERY HARD 288

7	9		2	1		8	9		9	7
2	5	1	4	3		6	7	9	5	8
	4	3					7	4		
1	3			9	4	5			3	1
2	1	3		4	2	1		1	2	4
9	8	6		2	1	3		3	1	2
4	2	1	3	6		4	7	6	8	9
		2	1			8	9			
1	6	4	2	3		2	9	5	1	3
2	7	9		9	4	5		4	2	1
7	9	8		4	2	1		8	9	6
4	8			2	1	3			4	2
	3	1						1	3	
1	5	2	4	3		4	3	2	5	1
3	1		2	1		2	1		8	3

VERY HARD 289

	8	5	9	7		2	9	7	1	
5	3	1	7	2		5	8	9	7	3
8	9	3					5	2	1	
1	2		5	4	9		8	9		
3	5		1	2	4			5	2	
1	2		3	1	2			3	1	
2	4	3	1	6		3	2	1	6	4
	2	4				4	2			
3	5	1	2	4		6	1	3	4	2
2	4		5	4	9			5	3	
1	2		1	2	4			2	1	
	1	2		3	1	2		2	1	
9	8	5					5	8	9	
7	3	1	5	2		6	2	1	3	7
	9	3	8	1		2	1	3	9	

VERY HARD 290

		8	2	9		2	1	8		
3	9	7	6	8		6	8	9	7	3
1	4	2					4	2	1	
	3	1		3	1	2		3	1	
4	8			1	2	4			6	2
2	7		7	6	4	9	8		3	1
1	6	3	9	2		1	3	2	5	4
		2	8				7	9		
4	7	1	5	9		3	1	5	6	8
2	6		3	1	6	4	2		5	7
1	3			6	8	9			8	9
	9	7		8	9	7		9	7	
1	2	4					2	4	1	
6	8	9	5	7		6	4	8	9	7
		8	6	9		1	2	4		

VERY HARD 291

	7	9		8	1	2		9	7	
2	1	8		6	3	1		8	1	2
9	2		7	9	2	4	8		2	9
	3	2	9				9	6	8	
		1	5	2		3	5	1		
3	7	9		1	2	4		9	3	7
1	5	8		3	1	2		8	1	5
7	9								7	9
6	8	9		1	2	4		9	6	8
2	6	1		3	1	2		4	2	6
	3	1	2				1	9	7	
	3	2	6				4	8	3	
9	7		3	8	1	2	7		7	9
8	1	2		6	3	1		2	1	8
	2	9		9	2	4		9	2	

ANSWERS - VERY HARD

VERY HARD 292

		3	1				9	8		
3	6	1	2	4		6	7	9	5	8
1	5			5	4	9			7	9
	2	1		3	1	2		5	3	
4	7	9		1	2	4		3	1	6
1	8	6	9				1	2	4	9
2	9	8	7	1		9	3	1	2	8
			5	2		6	2			
9	5	7	8	4		8	5	3	1	2
7	1	2	4			8	9	6	4	
8	3	1		5	4	9		8	3	1
	2	4		3	1	2		6	2	
9	7			1	2	4			4	7
8	4	7	9	6		6	8	7	5	9
		9	8				4	9		

VERY HARD 293

4	2	1	9		8	7	9		9	7
2	1	3	7	5	6	9	8		8	9
1	3		8	9				9	7	
3	5			6	9	4	8	7		
6	4	1	2		5	1	7	2	4	3
		3	7	5		2	9		2	1
1	8		9	8	1	5		1	3	
8	9	2		9	4	7		3	8	9
	3	1		6	2	9	7		9	7
1	2		9	7		8	9	3		
3	4	5	7	1	2		2	1	6	4
	9	8	2	7	6			3	5	
	6	8			9	8		1	3	
9	7		6	8	9	5	7	3	2	1
8	9		8	9	7		9	1	4	2

VERY HARD 294

	9	7			7	9		1	6	
9	4	8	5		1	5	7	3	2	4
8	6			2	1	6	8	9		1	3
	2	8	1	3	4			4	3	
2	1	6	3		8	1	9	3		
7	3	9			9	2	7	1	4	3
9	7			3	8	5			2	6	1
		8	1	9		3	8	9		
8	9	6			8	1	9		1	3
5	7	3	9	8	6			1	3	7
		1	7	9	3		1	2	5	9
	3	2			1	2	3	4	9	
7	1		9	3	5	1	2		8	3
9	4	3	7	1	2		4	9	7	1
	2	1		2	4		8	6	

VERY HARD 295

1	7	9	3	8		2	7	3	1	9
2	3	4	1	6		6	9	7	4	8
	1	5		5	1	3		6	2	
3	2	1		9	3	8		9	7	8
1	5			7	2	9			5	9
		3	1		1	3			
	1	3	6	2		5	4	9	7	
	2	1	4			6	8	9	
	4	2	9	1		7	1	6	8	
		8	3		5	2			
1	5			5	1	3			5	9
3	2	1		9	3	8		9	7	8
	1	5		7	2	9		1	2	
1	7	9	3	8		2	7	3	1	9
2	3	4	1	6		6	9	7	4	8

VERY HARD 296

	7	5	9	3	8		1	2	4	
4	3	1	7	2	9		3	1	5	2
2	1		3	1		7	8	3	9	6
	7	8		1	9	4		3	1	
8	6	9	5	7	3		6	8	3	
9	7		1	9			9	7	
	9	7			6	5	8	9	4	7
6	8	9		2	3	1		8	2	9
1	2	4	3	7	9		3	1	
		8	1		3	9		3	1	
3	8	6		7	1	4	3	5	2
1	3		5	9	8		2	1	
2	5	1	3	7		9	7		1	2
6	9	3	8		5	7	1	2	3	4
	4	2	1		9	8	3	1	7	

VERY HARD 297

5	1		9	7				2	1	
9	7	3	8	6	1		2	1	3	5
3	2	1		4	2	1	5	3	9	8
8	9		7	9		3	9	7	
	5	8	6		7	9		9	8	6
	7	9		8	6	9		5	7	
7	3	9	8		9	8	7		6	4
2	1	3		6	5	7		7	9	8
9	7		3	2	1		8	1	7	9
8	9		1	4	2		6	2	
6	2	5		1	3		9	3	8	
	3	1	7		9	7		2	7
2	1	7	6	9	8	4		9	7	8
5	7	9	8		6	2	3	7	1	5
	9	8			6	1		5	9	

VERY HARD 298

```
9 7 . . . 3 1 . 9 8
3 1 2 7 9 . 4 2 1 3 7
. 3 1 9 8 7 . 2 1 4
3 9 7 . . 9 8 1 . 7 9
1 8 9 7 . 4 3 1 2 6
. 4 1 7 2 . 8 9 .
7 6 8 3 9 1 . 8 9
9 8 . 6 8 9 2 4 . 8 9
. 7 9 . 5 3 1 2 4 7
. 3 1 . 7 1 2 4
7 5 8 9 6 . 3 1 2 7
4 6 . 3 1 2 . 3 1 9
6 8 9 . 3 2 1 9 7
8 9 7 6 4 . 1 3 8 9 7
9 7 . 1 2 . 3 1
```

VERY HARD 299

```
1 5 . 6 3 5 . 4 9
3 6 2 . 4 1 2 . 3 1 2
. 8 7 9 5 . 8 7 9 5
3 9 1 7 2 . 9 1 7 2 5
1 7 . 3 1 5 6 2 . 3 1
. 1 6 . 3 9 7 . 4 9
. 2 9 4 8 . 4 8 1 7
. 3 1 . 9 8
. 1 7 2 8 . 4 6 2 7
. 3 8 . 3 9 7 . 3 9
1 7 . 3 1 5 6 2 . 3 1
3 9 1 7 2 . 9 1 7 2 5
. 8 7 9 5 . 8 7 9 5
3 6 2 . 6 3 5 . 3 1 2
1 5 . 4 1 2 . 4 9
```

VERY HARD 300

```
3 1 . 1 2 . . 6 8 9
8 4 3 7 9 . 1 2 9 7
4 2 1 3 5 . 3 8 .
9 7 . 2 4 1 7 . 9 5
. 3 6 . 8 5 9 2 7 3 1
. 8 1 7 . 3 1 . 7 9
2 1 4 3 . 9 5 4 3 1 2
6 8 9 . 9 7 8 . 1 2 4
8 9 7 4 6 1 . 7 6 9 8
1 3 . 1 3 . 7 9 2
9 7 8 2 5 3 1 . 5 4
. 5 9 . 8 9 3 1 . 2 4
. 7 1 . 8 4 3 7 9
3 1 5 2 . 4 2 1 3 5
1 2 4 . 9 7 . 1 2
```